JN112331

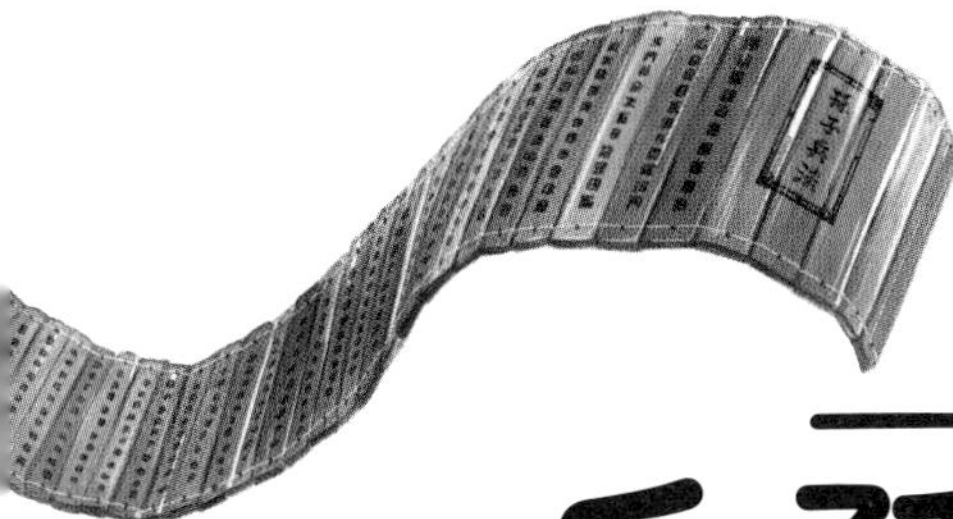

必読！必勝！

受験のための「孫子(そんし)の兵法(へいほう)」

明治大学教授
齋藤 孝

心の友だち
PHP

はじめに

この本を手にとられたみなさんは、とてもラッキーです。

なぜなら、受験に勝つための方法と、『孫子』の教えを、一度に両方身につけることができるからです。

『孫子』は、約２５００年前の古代中国で生まれた世界最古の兵法書です。「孫子」とは、その書物と、著者とされる軍事思想家・孫武の両方を指します。

『孫子』の教えは一生使えます。そこに記された、戦いに勝つための方法や考え方は、仕事や人間関係など、人生のどんな場面でも応用できます。

だからこそ、フランスの英雄ナポレオンやマイクロソフト創業者のビル・ゲイツなど、古今東西の名だたる成功者たちにも愛読されてきたのです。

人生で直面する戦いの多くは、「誰か」との戦いではなく、「状況」との戦いです。

たとえば、仕事で成果を上げるという戦いに勝つには、ただ目の前の仕事をがんばるだけではなく、戦略的に考えることが必要です。

受験勉強は、その練習をする絶好の機会だといえます。すなわち、

- **戦略的に考える**
- **具体的な対策を決めて地道に努力する**
- **結果を受け入れる**

ということを、受験を通して手に入れることができるのです。

受験は、人生で直面する大きな勝負事の一つです。

そこに『孫子』を携えて突き進むことで、『孫子』という知恵で受験に勝ち、受験という経験に裏打ちされて『孫子』が血肉になる――つまり、**「知恵」と「経験」という二つの宝をセットで獲得できる**のです。

『孫子』は今後の人生でも、ずっとあなたを助けてくれるでしょう。その教えのうち、

何か一つでも身につけて、座右の銘にすることができれば、心が安定するだけでなく、受験や就職の面接といった自分をアピールする場面で有利になります。

この本との出合いによって、みなさんが受験に勝つとともに、『孫子』を知り、味わい豊かな人生を歩んでいかれることを願っています。

齋藤　孝

目次――必読！必勝！受験のための「孫子の兵法」

第2章
戦わずして勝つ！ これが最強の勉強術

第3章 守って攻める！ これが必勝のノウハウ

第4章 合格まっしぐら！ これが勝者の習慣

第5章 受験も人生も！これが勝利の法則

＊本書中の『孫子（そんし）』の言葉は、浅野裕一著『孫子（そんし）』（講談社学術文庫）に基づきました。なお、読みやすさを考慮し、一部、読みがなを追加したことをお断りしておきます。

齋藤式いますぐ役立つポイントリスト

〈第1章〉

- □入試の募集内容にはくまなく目を通そう
- □負けないための準備は、自分を知ることから始まる
- □全科目の合計点数が合格最低点をクリアすればいい
- □「まずはやってみる」のが苦手克服の第一歩
- □細かい〝穴〟をていねいにつぶしていこう
- □復習はまわり道ではなく点数アップの近道
- □文系でも理系でも、英語を得意科目にしよう
- □自分がより勝ちやすい方法を選んで攻める
- □状況に応じて手段を変えるといい
- □勉強だけに集中する時間をつくる
- □人知れず結果を出す最高の勝ち方をめざす
- □志望大学の出題傾向を徹底的に分析し把握する

〈第2章〉

- □最後までやりきった快感があれば成功
- □後半の問題との戦い方が合否を決する
- □ほかの見方もあると考えることを習慣づける
- □余裕をもって行動すれば心の余裕が生まれる
- □何でも時間をはかりながら行ってみる
- □自分を追い込むと最強の勉強術が見えてくる
- □夢に出るくらいまで、とことん漬かりきる
- □勉強の「量」が「質」の変化をもたらす
- □いいか悪いか迷ったら、やめる
- □むずかしい問題とは格闘しない
- □1冊の本でわからない単語は2割が目安
- □一人授業のミッションを自分に課す
- □過去の失敗を「合格お守り」に変える

〈第3章〉

- □「拙速（せっそく）は巧遅（こうち）に勝（まさ）る」を肝（きも）に銘（めい）じよう
- □状況に応じてさっと優先順位を組みなおす
- □柔軟（じゅうなん）にやれることをやろう
- □基本以外の、もう一つの道を見つけ出す
- □相手の真意を見抜く練習を積み上げる
- □当たり前のことをきちんとやればいい
- □どこから攻められてもいいように準備する
- □自分の準備不足を率直に認めることが大事

〈第4章〉

- □10〜20分の昼寝タイムで気力をリセットする
- □ほかの受験生のいいところを素直に学ぼう
- □相互に補完し合える相手を見つけよう
- □時間を区切って効率を上げる
- □一杯の水が勉強への勢いをつける
- □ルールがあるから自由が生まれる
- □勉強する気になるものだけをやる
- □書くことは立派な精神修養になる
- □学校の先生を味方につけよう
- □計画表にはチェックボックスを忘れずに
- □環境を変えると勉強の効率が上がる

〈第5章〉

- □経験豊富な人の意見には耳を傾けよう
- □過去の栄光ではなく、ありのままの現実と向き合う
- □表現の幅を広げるプレゼンに挑戦（ちょうせん）しよう
- □文章中のキーワードを明確にしよう
- □インターネットを有能なスパイとして使いこなす
- □受験を通して道を切り開く喜びを知ろう

第1章

戦う前に勝つ！ これが必勝の極意

受験に勝つ人は戦う前に勝っている

勝兵は先ず勝ちて而る後に戦い、敗兵は先ず戦いて而る後に勝を求む（形篇）

勝つ人は、まず、勝ちを決めてから戦う。とりあえず戦ってみて勝とうとする人は負けるのだ。孫子はそう言っています。

普通は「戦うことによって、勝ちという結果を得る」と考えますが、孫子に言わせると、それは敗者の発想です。勝つ人にとって、勝ちはすでに予定されたことであり、戦いはその予定を実現する行為にすぎないのです。

相手を調べつくして戦略を立て、勝ちを確信できる状態にしたうえで戦うからこそ、必然的に勝利を手にできるのです。

ただ勉強するだけではなく、自分の力をうまく活かせる受験のしかたを選び、そこに向けて必要な勉強をする。そうした戦略をとることで、**受験本番を迎える前に**、**ある程度「勝ち」を決めておくことが可能**になります。

そのためには、まず情報を手に入れることが大切です。

大学入試はいま、とても多様化しています。大半の大学が、一般入試とは別にAO（アドミッションズ・オフィス）入試や自己推薦入試といった、人物評価を軸とする入試を実施しています。

そうした入試は、各大学が求める学生像にあった人物を選抜するために行うものなので、選考の方法や基準は大学によってさまざまです。

その大学が求める資質や実力を備えていることを、受験生がいかにアピールできるかが合否のポイントになります。

どの大学がどんな入試を実施し、**どのような受験生を選抜しようとしているのかを徹底的に調べてみる**と、自分に向いている入試を行っている大学を見つけることができる可能性があります。

実際、私が知っているなかにも、「これは自分に有利かもしれない」という募集内容を見つけて受けてみたら、手が届かないと思っていた大学に合格することができた、という学生がいます。

逆に、そうした情報を知らないと、大きなチャンスを逃すことにもなりかねないのです。

入試の当日に全力をつくすことが重要なのはいうまでもありません。でも、事前の情報と、それに基づいた戦略によって、あらかじめ合格の可能性を高めたうえで挑む。そんな「勝つべくして勝つ」スタイルを、もっと意識するようにしましょう。

入試の募集内容にはくまなく目を通そう

過去問で相手を知り、模試で自分を知る

彼れを知り己れを知らば、百戦して殆うからず（謀攻篇）

戦う相手のことを知り、自分のことも知っていれば、何度戦っても負けることはない。孫子はそう言います。

これは、孫子の言葉のなかでもとくに有名ですから、見聞きしたことがある人も多いでしょう。受験勉強において、「相手を知る」というのは、志望する高校や大学の過去の入試問題、いわゆる「過去問」を解くことです。

高校や大学の入試問題には、例年、それぞれの学校で似た系統の問題が出されます。だから、**過去問を解くことにより、出題の傾向をつかみ、対策を立てる**ことができるのです。そうした過去問を解いてみてあまりにも歯が立たなければ、「この相手と戦うのはやめよう」と判断することもできます。

ある国立大学の文系学部の過去問を解いてみて、必須で課される数学の問題がまったく解けなかったら、数学なしで受験できる私立大学の文系学部へと戦う相手を変える、といった方向転換も考えられます。

相手を知ることで、そのようなリスクヘッジ（危険の回避）が可能になります。

相手を知らずに戦った最たる例が、第2次世界大戦において、アメリカとの戦争に踏み切った日本でしょう。当時のアメリカの国力を十分に把握していれば、戦争はすべきではないという判断ができたはずです。

結果的に戦争に突き進んだのは、日本がみずからの力を過信していたからでもあります。

そこで、もう一つ重要なのが、「自分を知る」ことです。

孫子は、

「**相手を知らなくても、自分を知っていれば、勝ったり負けたりする**」

と言っています。

自分を知ってさえいれば、少なくとも全敗するような事態は避けられる。自分を知ることがそれだけ肝心である、ということでしょう。

ときどき、自分の実力をまったく顧みることなく、難関大学に挑もうとするチャレンジ精神がやや旺盛すぎる受験生を見かけることがあります。意気込みは立派ですが、まず模擬試験（模試）を受けてみましょう。

模試を受けると、志望校の合否判定というかたちで自分の実力の現在地点がかなりクリアに示されます。

そこで厳しい判定が出たら、それを直視し、そこからどうやって合格ラインまでの差を詰めていけばいいかを考え、具体的な勉強計画を立てる必要があります。

相手を研究し、自分の実力、強みや弱みを見極める。

負けないための準備は、そこから始まります。

負けないための準備は、自分を知ることから始まる

目的は合格であって、満点をとることではない

用兵の法は、国を全うするを上と為し、国を破るは之れに次ぐ（謀攻篇）

戦いの目的はあくまでも「勝つ」ことにあり、敵国を壊滅するほどたたきのめすのは上策ではない。孫子はそう言います。

そこまでやると、自軍もかなり疲弊します。すでに勝ちが決まっているのに、さらに完璧な勝利を求めて敵を深追いするのは、労力の無駄遣いだという教えです。

もともと得意な科目をさらに完璧にしようとして、その科目ばかり熱心に勉強する一方、苦手な科目は放置している人がいます。

定期テストや模試などで得意な科目で高得点がとれると、「勝った」感が得られるので気分がよく、さらにその科目に注力したくなるのです。

しかし、忘れてはいけないのは、**入試はすべての受験科目の合計点で合否が決まるものだということです。**

全科目の合計点数が合格最低点をクリアしてさえいれば合格できるのです。

床運動や鉄棒など、複数の種目の合計点を競う体操競技のようなもので、一つの科目だけ突出して高得点を出すよりも、全体として手堅くまとめることが重要なのです。にもかかわらず、攻めの気持ちが強すぎる人は、得意なところを徹底的に攻めようとします。

じつは私も、受験勉強でそのパターンに陥った経験があります。

英語の点数がかなりとれるようになっていたのに、英語が好きだったのでさらに猛烈に勉強してしまい、暗記が面倒だからとあとまわしにしていた社会科にはいつまでたっても手をつけませんでした。

自分としては、がんばって勉強している気分に満ちあふれていましたが、全体を整えるということができていなかったのです。

局地戦で相手を撃破することに執着するのではなく、**全体を見わたす目をもつことが大切**です。

たとえば、英語、国語、数学の3科目合計で180点が合格最低点という場合、国語で60点とれて、得意な英語で80点稼げるなら、30点しかとれない苦手な数学をあと10点上げれば、トータルで合格点に届きます。

「だから、当面は、数学の勉強時間をもう少し増やそう」

というように、全体のバランスを考えながら苦手科目を攻略するのが、効率のいいやり方です。

全科目の合計点数が合格最低点をクリアすればいい

昔えの善く戦う者は、先ず勝つ可からざるを為して、以て敵の勝つ可きを待つ。勝つ可からざるは己れに在るも、勝つ可きは敵に在り（形篇）

勝つことよりも、まず負けないことが大事。孫子はそう言います。

これが、孫子の考え方の根幹をなすものの一つです。攻めと守りのうち、優先すべきは、明確に「守り」なのです。

「攻め」は相手の出方に左右されますが、**「守り」はみずからの努力と判断で強化できる**からです。まずは守りを固め、「負けない」自分をつくることが大切です。

たとえば、サッカーでは、ディフェンスを固めて、負けない態勢をつくってから、最終的にフォワードがどうゴールを決めるかを考える、という順序で作戦を立てます。

受験勉強において**「守りを固める」とは、すなわち苦手科目を克服すること**です。

苦手科目の勉強は、じつはとてもコストパフォーマンスがいいものです。

点数が低いということは、点数が上がる余地がそれだけ大きいということだからです。30点の科目に30点上積みして60点にすることは可能ですが、すでに80点の科目は、どれだけがんばっても１００点より上にすることは不可能です。

しかも、入試では、80点くらいからは、点数を上げるのが格段にむずかしくなります。必死に勉強しても、現実的には5点上げることができるかどうかです。

それに対して、30点を60点に引き上げるのは、それほどむずかしくはありません。**苦手科目を勉強するほうが、かけた労力に対して点数の上がり幅が大きく、効率がいい**といえます。

そもそも苦手科目は、単純にいままで手をつけていなかった科目であることが多いものです。私も高校時代、化学でまったく点数がとれず、危機的状況に陥(おちい)ったことがあります。

そのとき、学校で配られていた化学の問題集にぜんぜん手をつけていなかったことを思い出し、その問題集をていねいに全問解いてみたら、次のテストで、いきなりどの科目よりも高い点数がとれて驚きました。

勉強ができないのは、多くの場合、やっていないからできないだけです。まずはやってみる。それが苦手克服（こくふく）の第一歩です。

その一歩を踏み出すかどうかが、今後の人生に大きくかかわります。社会に出たら、「苦手だからできません」などと言っていると仕事が成り立ちません。

私も先日、あるテレビ番組に出演した際、スタッフから突然、「シンガーソングライターの井上陽水さんのものまね」を要求されました。

それまでの私の人生で、井上陽水さんのものまねをした経験があるはずもなく、苦手かといわれれば苦手以外の何物でもありませんが、用意されたカツラとサングラスを装着して歌いきりました。そして、それが全国放送で流れました。全国のお茶の間から漏（も）れる失笑が聞こえるようでした。

このように社会に出ると、苦手なことでもやれと言われる場面が出てきます。そこで前向きにやる人と、やらずに逃げる人がいて、やる人には最終的に、やりたいことをやれる機会がめぐってきます。

つまり、**苦手なことに食らいつき、それを克服するという経験ができる**ことが、受験勉強をするよさだ、と私は思っています。ここで苦手克服の練習をたくさん積むことで、「合格」という結果だけでなく、人としての「強さ」も手に入れられるのです。

「まずはやってみる」のが苦手克服の第一歩

自分の弱点を徹底的に洗い出す

用兵の害を知るを尽くさざる者は、則ち用兵の利を知るを尽くすこと能わざるなり（作戦篇）

軍を運用するうえでの損害を知りつくしていなければ、それがもたらす利益も知ることはできない。孫子はそう言います。

大きな戦果をあげられる戦い方は、多数の兵を失うなどの損害もともなうものです。ですから、プラスの部分だけに目を向けるのではなく、マイナスの部分もしっかり把握していなければ、正味の利益がどれくらいあるかを知ることはできません。

受験勉強でいえば、自分は何が不得意なのか、自分の弱点を知ることが大切です。「数学が苦手」といった科目単位の弱点だけでなく、たとえば、「世界史では中国史が苦手」というふうに、一つの科目のなかでも弱いポイントがあるものです。

科目のなかに大きな弱点があると、そこでごっそり点数を失うことがあります。そうした自分の〝穴〟を見つけるために、まずその科目の教科書や参考書の目次を開いてください。そして、そのなかで、「ここは弱いな」と思うものを、ラインマーカーで色塗りします。できれば目次のコピーをとり、そのコピーを使うといいでしょう。

「やや弱い」と思うものは黄、「完全に危険」なものは赤、という具合に色分けするとわかりやすいと思います。

すべて塗り終えたとき、ほぼ全面に赤信号が点灯している状態だとしたら、その科目はかなり危機的な状況だといえます。この作業をすることで、〝穴〟の大きさや深さを視覚的に把握することができます。

得意な科目のなかにも、「このパターンの問題形式には弱い」といった細かい〝穴〟があるはずです。過去問を解いていて、ここが〝穴〟だなと感じるポイントが見つかることもあるでしょう。

そうやって見つけた〝穴〟を、ていねいに一つひとつつぶしていくのです。**〝穴〟がふさがるにつれて、負けにくくなっていきます**。

テストのたびに点数が大きく上がったり下がったりすることがなくなり、「どんなときでも65点はとれる」といった安定感が出てきます。そこから徐々に安定度の水準を上げ、勝ちをより盤石なものにしていきましょう。

細かい〝穴〟をていねいにつぶしていこう

思い切って中学校の問題からやりなおす

迂を以て直と為し、患いを以て利と為せばなり（軍争篇）

遠まわりをしなければならない状況になっても、計略を働かせることで、まっすぐな道を進んだかのように、敵よりも早く目的地に到着できる。孫子はそう言います。

つまり、**一見不利な状況でも知恵によって有利に変えることができる**のです。これを簡単に言うと、「まわり道こそが一番の近道」「ピンチはチャンス」ということです。

たとえば、志望校の入試過去問を解いていて、英語の問題に出てくる英文がぜんぜん理解できなかったとします。もしかしたら、過去問レベルよりもずっと手前、基礎の部分で、どこかに〝穴〟があいたままになっているのかもしれません。

それを見つけるために、思い切って中学校の英語の問題集からやりなおしてみるのも、一つの方法です。「そこまでもどるの？」と思うかもしれませんが、やってみると、「ああ、文法のここが完全に落ちていたんだ」など、意外なところでつまずいていたことが判明する場合もあります。

復習はまわり道のように感じられるものですが、点数が上がらなくなっている原因を突きとめるには、とても有効です。

たとえば、家の中で異臭がする場合、「何か変だなあ」と首をかしげているだけでは、いつまでも不快な思いをしつづけることになります。家の中をよくチェックして、においのもとを突きとめられれば、すみやかに処置ができます。

勉強も同じで、復習に時間をかけ、停滞の原因を見つけて取り除くことができれば、その後はスムーズに進むので、結果的に点数アップへの近道になるのです。

また、むずかしい問題集ばかりに挑もうとせず、**比較的楽に解ける基礎問題集をあえて解いてみる**というまわり道をしてもいいと思います。

基礎問題集はすらすら解けるので、気分よく進めることができますが、そのなかでも意外に解けない問題に出くわしたり、まだ覚えていなかった英単語などを見つけたりすることがあります。

スピーディに解く爽快感を味わいながら、〝穴〟を見つけて補修し、むずかしい問題を解くための土台をしっかり固めることができます。

復習はまわり道ではなく点数アップの近道

得意科目ならいくら勉強しても疲れない

千里を行くも畏れざる者は、无人の地を行けばなり（虚実篇）

千里、つまり中国でいえば500キロメートルほどの道のりを行軍しても危ない目にあわないのは、邪魔する者が誰もいない場所を進むからだ。孫子はそう言います。無敵のエリアを行けば、より遠くの地点まで到達できます。受験勉強でいえば、確実に点数がとれる得意科目や分野があると大きな強みになります。でも、「自分には得意科目なんてない」「何が得意なのかわからない」という人もいるかもしれません。

そこで、孫子の言葉からヒントを探ってみましょう。

「無敵の地を行く」のですから、戦う必要がなく、当然、疲れないということです。この「疲れない」がポイントです。得意なことは、いくらやっても、あまり疲れを感じないものなのです。

作文が苦手な人は、原稿用紙1枚分書くだけでぐったりしますが、小説家は長時間原稿を書いても疲れず、むしろ筆が乗ってくるといいます。長距離走が得意な人や、水泳が得意な人は、それぞれ走ったり泳いだりすることが苦にならないはずです。

自分が長時間勉強していても疲れない科目は何かを、まずは考えてみましょう。

たとえば、数学の問題を解いていて、どれくらい解けるかは別として、その時間にさほど疲れを感じないとか、英単語を覚える勉強は比較的長時間やっていられる、といったことがわかってくると思います。

なぜ、いくらやっても疲れないかというと、それが自分に向いているからです。向いていることには長時間取り組めるので、必然的にそれが得意になるわけです。

勉強法についても、「自分にとって疲れにくい勉強法は何か」を考えてみましょう。

たとえば、私の場合、読んだ本の内容を人にしゃべることは、まったく疲れず、いくらでもできました。そこで、社会科などの教科書を読み、その内容を人にしゃべることで理解を定着させるという勉強法を実践（じっせん）していました。

ひたすら書いても疲れない人もいれば、問題集を解くのは苦痛でも、参考書を読むだけなら何時間でもできる人もいます。

英単語の覚え方一つとっても、「単語帳で覚える」「長文を読みながら覚える」「音読して覚える」「書き取りをして覚える」など、さまざまな方法があります。

そのなかで、自分にとって比較的疲れないやり方を見つけられると、勉強が一気に進みます。

また、何か一つ得意科目をつくるとしたら、いちばん望ましいのは英語です。

英語は、文系、理系を問わず、ほぼすべての大学・学部の入試で課されるので、英語が得意科目であれば、どこを受験するにしても有利になります。

私が知っているある受験生は、理系科目にやや自信がなかったにもかかわらず、難関の医学部に合格しました。彼は英語がきわめて得意だったため、**英語の得点で不得意科目の点数をかなりカバーできた**のです。

英語は、ふだんの生活や社会に出てからも、役に立つ度合いが大きい科目です。グローバルな活動を志向している企業（きぎょう）のなかには、すべての社員に対し、TOEIC（トーイック）などの英語能力試験で一定以上のスコア取得を求めているところもあります。

受験勉強は、みっちり時間をかけて何かを勉強できる、人生のなかでも数少ない機会です。この機会を利用して、英語を自分にとっての〝無敵エリア〟にしておいても損はありません。

文系でも理系でも、英語を得意科目にしよう

有利な受験パターンを見つけ出そう

兵とは詭道なり（計篇）

戦争とは、敵をだますことだ。孫子は、そう言いきっています。

「正々堂々と戦いたい」という思いだけで敵に正面からぶつかり、苦戦して多大な損害を出すよりは、**最短で勝ちを決めることを優先し**、**相手の裏をかいたり**、**駆け引きをしたりする**ことを戦略に取り入れたほうがいいのです。それは卑怯な考え方ではありません。

なかば玉砕覚悟で、自分の実力より少しレベルの高い国立大学と私立大学を受験する人もいますが、国立大学の入試は私立大学にくらべて課される科目数が多く、受験生にとっては負担が大きい面があります。

そのため、科目数の多い国立大学の入試で苦戦する一方、私立大学の入試でも、そこだけに的をしぼって徹底的に勉強してきた受験生を相手に、厳しい戦いを強いられる可能性があるといえます。

そして、結果的に、膨大な勉強量をこなしてきたにもかかわらず、どちらの合格も逃すという事態になることが少なからずあるのです。

自分の得意な科目だけで、あるいは苦手な科目を避けて受験できる大学や学部を選び、自分がより勝ちやすい方法を選んで攻めるのも一つの戦略です。

いまは多くの大学で、学部や学科の一般入試において、入試科目などが異なる複数の受験方式が設定されています。

より少ない科目数で受験できたり、大学入学共通テストや英語の民間試験を利用で

きたりするものなど、さまざまなパターンのなかから、自分にあった方式を選んで受験することができます。

同じ大学の同じ学部・学科をめざすにも、いくつものルートがあるのです。より合格しやすい受験のしかたがあるのなら、それを利用するほうが賢明（けんめい）なのはいうまでもありません。

模試の結果などから、いちばん高い点数がとれる科目の組み合わせはどれか、自分の強みを活かせる受験方式はどんなものかをつかんでおくことが大切です。

志望大学が用意している受験方式とつきあわせて、もっとも有利な方式を選び、最短ルートでの「勝ち」をねらいましょう。

自分がより勝ちやすい方法を選んで攻める

勉強の計画は柔軟にどんどん変更する

兵に成勢無く、恒形無し。能く敵に与いて化するは、之れを神と謂う（虚実篇）

水に決まったかたちがないように、相手や状況もつねに変化する。だから、それにあわせて自分の行動を変化させて勝つ者こそが偉大である。孫子はそう言います。

一度決めたことをずっとやりつづけるというのは、一見、立派なようですが、柔軟性に欠けるともいえます。

受験勉強は、たいてい計画どおりには進まないものです。たとえば、「この問題集を2週間で終わらせる」と計画したものの、1週間が過ぎた時点で、あと1週間ではとうてい終わらない状況に陥っているというのはよくあることです。

その場合にもっとも避けたいのは、計画どおりに進まないと気づいた時点ですべて

2週間で
1冊終わらすつもり
だったけど
今日から
1日
5ページずつ
やっていこう

をあきらめ、それ以上やらずに投げ出してしまうことです。

それよりも、計画のほうを柔軟に変えていきましょう。当初の計画自体が無理だったと考え、「問題集の残りを、これから2週間かけて、1日5ページずつ解いていこう」というふうに、計画を練り直せばいいのです。

自分が決めたことに縛られていると、効率が悪くなることがあります。解こうと決めた問題集が、むずかしすぎてぜんぜん進まなくても、「やると決めたから」といつまでも固執していたら、実質的には何もしていないのと同じです。

勉強をしている気分になっているだけでは、何の意味もありません。図書館で勉強している人を見ていると、開いている本のページが何時間たっても同じだったりすることがあります。そういう人は、図書館で本を広げていることで、勉強をしている気分になっているのでしょう。

大事なのは気分ではなく、結果を出すことです。結果とは、「問題集のページが進んでいる」「暗記ができている」「テストで点数がとれる」ことを指します。勉強したかどうかは、その結果だけではかられるもので、勉強にかけた時間は無関係です。

ノートづくりにものすごく時間をかけている受験生を見かけることがあります。色とりどりのペンを使って色分けし、ていねいな文字でびっしり書き込み、とても美しいノートを完成させています。

でも、そこまでやっていても、何一つ覚えていなかったらどうでしょう。それなら、1文字も書かなくてもいいので、公式の一つでも、英単語の一つでも覚えるべきだと言わざるをえません。

以前、『東大合格生のノートはかならず美しい』（太田あや著、文藝春秋）という本が話題になり、美しいノートづくりがにわかにはやったことがありました。東大生のノートが美しいのは、たしかに傾向として事実なのですが、それは授業中に聞いた内容を整然と書きとめる能力があるために、結果的に美しいノートに仕上がるということであって、美しいノートをつくるためにわざわざ時間をかけているわけではありません。

どれほど**きれいなノートをつくったとしても、結果が出なければそれは無駄**な作業です。結果を出すという目的に向けて、そのための手段は状況に応じて変えていく柔軟性が必要です。

状況に応じて手段を変えるといい

「○○断ち」でパワーをためて一気に放つ

善く戦う者は、其の勢は険にして、其の節は短なり。勢は弩を彍くが如く、節は機を発するが如し
（勢篇）

戦いのたくみな者は、弓を目いっぱい引きしぼって一気に放つように、蓄積した力を一瞬で発揮する。ためておいた力を、ここぞというタイミングで一気に放つのがいい。孫子はそう言います。

入試に向けて力を蓄え、それを当日に一気に出しきる。そのためには、本番までにどう力をためていくかがポイントになります。

エネルギーを効果的に蓄積するためのサイクルが、「準備」「融通」「フィードバック」です。

まず、日ごろの勉強で「準備」を重ね、模試などで力試しをします。模試では、準備してきたこと以外の問題が出ることもあるので、「融通」をきかせて対応します。

そして、模試の結果が出たら、何が足りなかったかを分析し、勉強計画に「フィードバック」し、さらに準備を進めます。このサイクルを循環させることで、本番までに確実に力を蓄えていくのです。

弓をギリギリと引きしぼる、つまり相当な負荷をかけることによって、解き放たれるエネルギーの量は増大します。たとえば、スポーツ選手は、過酷な合宿などを行ってためた力を、試合当日に爆発させます。

本番でドカンと出せる力の大きさは、犠牲にしてきたものの量の大きさともいえます。だからこそ、**もっている時間を、可能なかぎりすべて受験勉強に注ぎ込む**と決めてみてはいかがでしょうか。

以前、司法試験をめざして勉強していた友人から、どうすれば合格できるかと相談を受けたことがあります。私は単純に、勉強時間の絶対量が必要だと考えました。そこで、生活のなかで漫然と過ごしている時間を徹底的にけずり、ほぼすべての時間を受験勉強にあててみてはどうかと提案しました。友人はそれを実行し、見事合格を果たしました。

無駄（むだ）な時間をけずることには、勉強時間を確保するということだけでなく、それによってメンタルが鍛（きた）えられるという効用もあります。たとえば、ゲームをやりたいのを我慢して英単語を覚えることを続けていると、「ちょっと我慢してがんばる」ことがだんだん快感になってきます。

重いバーベルを持ち上げたり食事制限をしたりして、日々、筋力トレーニングに励（はげ）んでいる人が、自分の腹筋が割れてきたのを見てほくそ笑（え）むように、ゲームを断（た）って覚えた英単語が増えてくると、思わずニンマリして、ほかのものも我慢してみようかという気持ちすら芽生えてきます。

ゲームを断つには、ゲーム機を段ボール箱に詰めて、押し入れの奥など、簡単には取り出せないところにしまうだけでいいのです。一度しまいこむと、わざわざ出してまでやろうという気が起こらなくなり、自然に手を伸（の）ばさなくなります。

受験が終わるまで完全に断つのがむずかしければ、「この模試までの1カ月」というふうに、期限を決めてもいいと思います。スマートフォンのゲームアプリも1回すべて消去し、決めた期間内はインストールをしないことにしてください。

友達とのLINE（ライン）のやりとりも、けっこうな時間を使うことの一つです。勉強中に頻繁（ひんぱん）にLINE（ライン）の着信があり、それにいちいち返信していると、そのつど集中力が切れてしまいます。

アメリカの人気ホラー作家スティーヴン・キングは、午前中の数時間を執筆時間と決めていて、その時間中は自室のドアを閉め切り、電話などが通じないようにして、外部と完全に遮断（しゃだん）された状態で執筆に集中するそうです。

同じように、たとえば、夜8時から10時までは絶対にLINE（ライン）をしないと決めてしまいましょう。その時間は自分にとっての「勉強のゴールデンタイム」であり、「その時間を確保できなければ未来は開けない」というくらいの強い気持ちをもつべきです。

LINE（ライン）のやりとりをしている友達が、あなたの未来を切り開いてくれるわけではありません。「悪いけど、この2時間はLINE（ライン）に返信できない。あとでまとめて返すね」と伝えて、それで気を悪くするような友達なら、むしろ距離を置くほうがお互いのためです。

弓を引きしぼっているあいだは、苦しいと感じるかもしれません。でも、そこで十分にためたパワーこそが、合格という的を射抜く力になるのです。

勉強だけに集中する時間をつくる

「意外なあの人」が合格する理由

勝（かち）を見ること衆人の知る所に過ぎざるは、善なる者には非（あら）ざるなり

（形篇（けいへん））

誰の目から見てもわかりきったような勝ち方は、もっとも優れた勝ち方とはいえない。孫子はそう言います。

では、孫子が考える「もっとも優れた勝ち方」とは、どんなものでしょうか。

それは、勝った結果を見て、まわりがはじめて「そうだったのか」と気づくような勝ち方です。人知れず地道な努力を積み重ね、万全の準備をして確実に勝つことです。

受験が終わってみると、意外な人が難関大学に合格していて驚かされることがあります。私の高校時代のクラスにも、そういう人がいました。それまで目立って成績がよかったわけではないのに、最難関の私立大学への合格を果たし、クラスじゅうがどよめきました。

よくよく聞いてみると、彼は自分の実力が十分ではないことを客観的に見極めたうえで、その大学に照準をあわせ、どうしたらその大学の入試で点数がとれるかを考えて、着実に準備を進めてきたそうです。

本人は「そうしないと受からないと思ったから」と謙遜していましたが、これは孫子の理想とする勝ち方そのものでしょう。

受験勉強は、日々の積み重ねが求められる、基本的に地道なものです。少しずつでもコツコツ継続して努力できるタイプの人は、ふだんの生活で脚光を浴びることは少ないかもしれませんが、受験勉強には非常に向いています。

一方で、すぐに称賛を得たい人、目立ちたい人、少し机に向かっているだけでイライラする人は、本気になったときの瞬発力はすごいのですが、そこにいたるまでに時間がかかることが多く、受験勉強ではやや不利かもしれません。

地道な人こそ、受験勉強では強者になれます。誰にも気づかれず、目立たず、結果を出す。そんな「最高の勝ち方」をめざしてほしいと思います。

人知れず結果を出す最高の勝ち方をめざす

模試で高得点がとれても油断しない

慮り無くして敵を易る者は、必ず人に擒にせらる（行軍篇）

周到な考えもなく、敵を侮ってかかる将軍は、敵の捕虜になるだけ。孫子はそう言います。つまり、**根拠のない自信をもち、敵を甘く見て油断することの危険性を厳しく指摘**しているのです。

たとえば、定期テストや模試で高得点がとれると、大きな自信になりますが、入試本番ではそれらの試験とは傾向の違う問題が出ることがあります。

これまで遭遇したことのないタイプの問題が出て、ギョッとすることもめずらしくありません。英語の長文問題が、想定外のとてつもない長文で、衝撃とあせりで読みきれないまま時間切れを迎えるといったこともあります。

同じ科目でも、大学によって問題がまったく違うので、得意科目だからといって油断はできません。世界史でも、選択式や穴埋め式の問題がほとんどの大学もあれば、東京大学のように記述式の問題が多い大学もあります。

記述式の場合、用語などを暗記するだけでなく、歴史のかなり深いところまで理解していないと解答することがむずかしいので、相応の準備が必要になります。

英語でも、文法問題や長文読解問題が中心の大学もあれば、リスニングの配点がかなり高い大学もあります。

模試でいい点数がとれたときこそ、「本番ではこういう問題は出ないかもしれない」と気を引き締めるべきです。志望大学の出題傾向を再確認し、怠りなく準備を進めましょう。

志望大学の出題傾向を徹底的に分析し把握する

第2章

戦わずして勝つ！これが最強の勉強術

問題集は薄めのものから始めよう

小敵の堅なるは、大敵の擒なり（謀攻篇）

少ない兵力なのに強気で戦おうとすると、兵力の大きい敵の捕虜になるのがオチ。孫子はそう言います。

つまり、**自分の実力を冷静に見極めることなく、無謀な戦いを挑んではいけない**ということです。私も〝大敵〟に挑み、あえなく敗れた経験があります。「さあ勉強するぞ」というやる気に燃えるあまり、とてつもない厚さの問題集に手を出したのです。

その問題集は数百ページもあり、掲載されている問題数はざっと3000問。「これさえやりきれば、どんな入試も突破できる」と確信させるに十分なボリュームでした。

しかし、結局、手をつけられたのは、はじめの10ページほどにすぎませんでした。その厚さを見るだけでゲンナリしてしまい、わずか数日で開く気すら起こらなくなったのです。そんな悲劇を招かないよう、まずは薄めの問題集を選ぶようにしましょう。

長編小説を読む場合も、分厚い1冊を読み通すのはなかなか大変ですが、いくつかの巻に分かれていると、1巻ごとに「読みきる」気持ちよさが味わえるので、案外楽に読み進められます。

問題集も同じで、**薄いものだと最後までやりきった快感が得やすく、どんどん解きたくなります**。

たとえば、数学の問題集でも、1冊で数学の全分野を網羅(もうら)しているものもあれば、東大をめざす受験生がよく使っている「大学への数学 1対1対応の演習」シリーズ（東京出版）のように、分野ごとに1冊ずつ分かれているものもあります。

こうした薄い問題集を、くりかえし何回も解いていくのです。とくに「1対1対応」シリーズは、1冊を5周する、つまり5回くらい解くと効果が高いという受験生が多いようです。それだけ何回もくりかえせるのは、薄い問題集だからこそです。

いろいろな問題集に手をつけて、すべて中途半端に終わるよりは、1冊の問題集を5回、6回とくりかえして完璧（かんぺき）にするほうが、本番では断然役に立ちます。

自分の力に見合ったボリュームの問題集を選び、「1冊全部解ききった」という自信をつけるところから始めましょう。

最後までやりきった快感があれば成功

問題集の2周目は「できない」問題にしぼりこむ

百戦百勝は、善の善なる者には非（あら）ざるなり。戦わずして人の兵を屈するは、善の善なる者なり
（謀攻篇（ぼうこうへん））

100回戦って100回勝つより、そもそも戦わないで勝つことができれば、それが最善なのだ。孫子（そんし）の考え方は、きわめて合理的です。

戦えば、結果にかかわらず確実に消耗（しょうもう）します。ですから、戦闘になる前に、政治的な駆け引きなどによって相手を屈服させることができれば、それに越したことはありません。

戦わないで勝つ、すなわち、できるだけ**無駄（むだ）な労力を使わずに結果を出すのが賢（かしこ）いやり方**だといえます。

前項で、問題集をくりかえし解くことで力がつくと話しましたが、明らかに解ける問題にわざわざ何度も時間をかけるのは無意味です。

問題集の1周目は、ひととおりすべて解きます。

この1周目は、できる問題とできない問題を分けるために行います。

1周目でできた問題は、2周目以降では素通りしてかまいません。

1周目でできなかった問題が50問あったら、2周目はその50問だけを解きます。

そして、できなかった問題が25問残ったら、3周目はその25問を解く、という具合に、立ち向かうべき敵の数を減らしていくのです。

これで時間と労力をかけすぎることなく、確実に力をつけることができます。

ところで、模試や入試本番では、比較的解きやすい前半の問題に時間をかけすぎて、大問にほとんど手をつけられないまま時間切れになるケースがよくあります。

試験問題は往々にして、後半の問題ほど配点が高い傾向があります。

前半はなるべく早く通りすぎて、後半のための時間を残しておく、あるいは後半の問題から先に手をつけるなど、臨機応変の判断が必要です。

私は大学で教鞭（きょうべん）をとっている立場上、かれこれ20年以上、入試の試験監督（かんとく）をしています。その際、最初の数問をじっくりていねいに解いていて、試験時間が残り5分を切っているにもかかわらず、解答用紙の後半が真っ白という受験生を見かけるたびにハラハラします。

「ああ、前線の敵に百戦百勝してもダメなんだ。その後ろに強敵が控（ひか）えていて、それを倒さないと勝てないのに……」

思わず念を送りたくなります。

試験が始まったら、まず時間配分を考えるのが、「戦わずして勝つ」ための重要ポイントです。

後半の問題との戦い方が合否を決する

「両面」から考えて記述式問題に強くなる

智者の慮は、必ず利害を雑う（九変篇）

物事には、必ずプラスとマイナスの両面がある。賢い人は、必ずその両面をつきあわせて考えるので無用な心配をすることはない。孫子(そんし)はそう言います。

これからの入試では、受験生の**知識の量ではなく、「考える力」を問う方向に変わる**動きが進んでいます。つまり、正解が一つに決まっていない問題も出されるようになります。

2020年度から始まる「大学入学共通テスト」で予定されていた、数学と国語の記述式問題の導入は見送られましたが、入試の大きな流れとしては、記述式問題が増えていくと考えられます。

日本を含む世界各国の15歳の生徒を対象に、OECD(オーイーシーディー)(経済協力開発機構)が進めている国際学習到達度調査(PISA(ピザ))では、思考力や応用力を問う自由記述式の問題が多いのが特徴です。読解力の問題でよく見られるのは、AとBという二つの意見を提示し、それぞれをふまえて自分はどう考えるかを記述させるものです。

たとえば、「壁の落書き」について、反対と賛成の意見を提示し、それについての考えを書くという問題が過去に出題されています。

この「壁の落書き」のようなテーマは、否定的なAと、肯定的なBという二つの意見があったとして、どちらが正しいとは一概にいえません。「落書きは美観を損ねる」という意見に対して、「センスのいい落書きは、むしろ景観をよくする」という見方もあります。「社会の秩序を維持するために、規律は守られるべき」という意見に対しては、「自由な表現は許容されるべき」という見方もできます。

二つの意見があれば、それぞれにプラスとマイナスの面がありますから、AとBのそれぞれのプラスとマイナスの要素を考え、書き出してみます。これで少なくとも四つの要素が出そろいます。これらの要素をていねいに文章にすることで、自分の考えを記述することができるはずです。

国語の**現代文の試験に出る問題文は、AとBという二つの考え方について説明している文章がほとんど**です。そこで提示された考え方に対して、一面的に決めつけることはせず、プラスとマイナスの両面があることをつねに意識し、「ほかの見方もあるはず」と考えるようにすることで、記述式問題に強くなります。

それはまた、小論文を書くうえでも重要なポイントです。私は入試の小論文の採点を長く担当していましたが、あるテーマについてAとBの考え方を提示し、それぞれのプラスとマイナスの面をあげながら自分の考えを述べている小論文は、だいたい合格水準と判定されます。

物事をプラスとマイナスの両面から見て考えることは、「智者」の証となるのです。

ほかの見方もあると考えることを習慣づける

早めにスタートしてストレスを軽減

先んじて戦地に処りて敵を待つ者は佚し、後れて戦地に処りて戦いに趨る者は労す（虚実篇）

先に戦場に到着して敵を待つようにすれば、心に余裕が生まれる。しかし、遅れて到着すると、勝つのはむずかしくなる。孫子は、「早めの行動」が勝利のカギだと言っています。

私が東大に入学して感じたことの一つは、まわりの学生がとにかく「あわてていない」ことでした。卒業後も同級生の会合があると、みんな超がつくほど多忙なはずなのに、開始時間前には私以外の全員がそろっていて、ギリギリに到着した私が冷や汗をかく、というのが毎回のパターンです。

おそらく、彼らはつねに先を読み、時間に余裕をもって動くことが習慣化しているのだと思います。

勉強も同じです。「**模試や定期テストの試験勉強は2週間前に始める**」など、余裕をもって、早めにスタート地点を決めておきましょう。少し時間が余るくらいの見込みで計画を立てておくと、その余った時間を弱点のチェックなどに使うことができます。

1日の勉強計画を立てるときも、やることそれぞれについて、どれくらい時間がかかりそうかをまず考えます。そして、30分で終わりそうなことでも、所要時間を1時間程度見積もって、開始時間を設定します。

「時間に間に合わないかもしれない」と、**あせることから生じるストレスは、人間が感じるストレスのなかでもかなり強い**もののようです。

入試当日、とくに面接試験では、ギリギリの時間に会場に到着する予定で向かうと、途中で「間に合わないかも」とハラハラすることになります。そのストレスで精神的なコンディションが乱れ、面接で落ち着いた受け答えができなくなるかもしれません。

スマートフォンで会場までのルートを検索して電車の時間を確認していても、電車が事故や故障で止まったり遅れたりすることはよく起こります。試験時間に遅れたら、遅延証明書をもっていったところで、受験させてもらえるとはかぎりません。

時間の余裕は、心の余裕です。

試験当日は現地に早めに到着し、会場近くの書店やカフェなどで時間調整をしたうえで、ゆったりとした気持ちで臨むことをおすすめします。

余裕をもって行動すれば心の余裕が生まれる

ストップウォッチで勉強の時間をはかる

善なる者は、道を脩めて法を保つ。故に能く勝敗の正と為る。法は、一に曰く度、二に曰く量（形篇）

孫子は、「勝つための原則をわきまえている者が勝つのだ」としたうえで、五つの原則をあげています。そのうち、第一は、モノサシで距離をはかること。第二は、升で物資の量をはかることです。

敵陣への距離はどれくらいで、兵糧はどれだけ残っているのかなど、戦略にかかわるものの数や量を、まずはきちんと「はかって把握する」ことが、勝つためには欠かせません。

そこでおすすめしたいのが、ストップウォッチやキッチンタイマーを使って、時間をはかりながら勉強することです。実際にはかってみることで、この問題は5分で解けるというふうに、何にどれくらい時間がかかるかが把握できます。

なお、スマートフォンのストップウォッチ機能やタイマー機能を使うほうが便利そうですが、スマートフォンが手元にあると勉強時間中にLINEやゲームが気になって集中できなくなるので、ほかの機器を使うことをおすすめします。

勉強のたびにストップウォッチを押していると、だんだん勘がよくなってきて、始めた瞬間にそれが何分で終わるか読めるようになります。

こうして時間感覚が鍛えられると、**入試本番でどの問題を何分で解くかという時間配分が上手にできる**ようになるのです。

私が知る人のなかで、時間感覚が優れている人といえば、TBSアナウンサーの安住紳一郎さんです。彼は、「何分、何秒あれば、どれくらいしゃべれる」ということを体感で完璧に把握しているので、CMに切り替わるまでの残り秒数を見れば、何をどうコメントするか瞬時に判断できるのです。

残り3秒であっても、たくみなジョークを繰り出して時間ぴったりに終わらせるあたりは、ほとんど神業の域です。時間感覚を鍛えあげると、ここまでのことができるのだと感心させられます。

時間をはかって勉強することのもう一つの利点は、勉強のスピードがアップすることです。たとえば、「問題集のこのページまでを30分で終わらせよう」と決めて、ストップウォッチを押します。すると、まるでタイムを計測しながら走っているかのような感覚になって、解くスピードがぐんぐん上がっていきます。

勉強を始めるときに、ストップウォッチを「ピッ」と押すだけで、ダラダラと勉強することがなくなるわけです。

ふだんはまったく進まない会議も、誰かが「今日は1時間で終わりましょう」と言ってストップウォッチを押すだけで、なぜかみんな早口になり、驚異的なスピードで結論が出て、あっさり30分で終わったりします。

私は、**一つのことを30分ですると決めて、時間をはかりながら行う**のが好きでした。そのために「30分砂時計」を買ったこともあります。きれいな色の砂が、30分かけてさらさらと落ちていく様は、なかなか美しいものでした。作業もはかどりました。難点はただ一つ、巨大なことでした。

その点、気軽に持ち運べるストップウォッチやキッチンタイマーは、とても便利な存在です。「ダラダラ勉強」を脱して時間を有効に使うために、とにかくストップウォッチやキッチンタイマーのボタンを押しまくる。それを実践してみてください。

何でも時間をはかりながら行ってみる

自分を窮地に追い込んでスイッチオン

之れを亡地に投じて、然る後に存え、之れを死地に陥れて、然る後に生く（九地篇）

危険な状態のなかに兵を投じると、兵は死に物狂いで戦うので、それによって活路が開ける。孫子はそう言います。

ひどい話のようですが、この言葉のように、人は極限状態に追い込まれると、思いもよらない力を発揮することがあります。

実際、人間というのは、みずからに備わっている力をいつでもフルに使っているわけではありません。

たとえば、寿命を延ばす働きがあるとされるサーチュイン遺伝子（長寿遺伝子）は、ふだんは眠っているのですが、空腹状態になると活性化することがわかっています。

人類の歴史は飢餓との闘いでした。そのため、**空腹になると、生命を保つためにスイッチがオンになる**のです。

このメカニズムを受験勉強に応用しない手はありません。たまには少々無理な勉強計画を実行して、**あえて自分を窮地(きゅうち)に追い込んでみましょう。こうすることで、自分でも気づいていないパワーが働きはじめる**かもしれません。

私は受験勉強をしていたとき、問題集を2週間で1冊解くことを友達と約束し、2週間後にその結果を見せ合うということをしていました。

2週間で1冊というのはなかなかハードでしたが、約束した手前、なんとしてでもやらざるをえず、その危機感に追い立てられていると案外できてしまうことがわかりました。

ですから、受験勉強をするときには、厳(きび)しめのノルマを設定したり、課題をクリアするまでは絶対にスマートフォンにはさわれないようにしたりするなど、あの手この手で自分を追い込んでみましょう。

すると、あるとき不意に、気力がみなぎり、スイッチがオンになったと感じられる瞬間が訪れることがあります。そして、「このやり方なら自分はできるんだ」という勉強法を発見することができるのです。

スポーツの世界でも、トップに立てるのは、自分を追い込むことができる選手です。以前、スピードスケート長野オリンピック金メダリストの清水宏保(ひろやす)さんと対談する機会があったのですが、同じ練習を続けていると、しだいに筋肉がそれに慣れて、筋力が上がりにくくなるそうです。

清水さんはそれを、「筋肉はすぐサボろうとする」と表現していました。だから筋肉をサボらせないよう、毎回、練習を工夫して、気を失う寸前まで自分を追い込んだといいます。

さすがに、このような凄(すさ)まじい追い込み方は真似(まね)できませんが、上手に自分を追い込み、力を引き出す方法を、いろいろ工夫してみてください。伸(の)び悩んでいた点数が、それによって一気に上がる可能性があります。

自分を追い込むと最強の勉強術が見えてくる

「不得意科目漬け」を1週間実行する

十を以て壱を撃つなり（虚実篇）

兵力が10あるとして、それを分散させるのではなく、敵の防御が薄い地点に一点集中で投入する。孫子はそう言います。

勝つためには、ときには、このような思い切った戦略が必要です。手薄なところ、つまり、**不得意分野に限定して一定期間、集中的に取り組む**というのも、試す価値のある勉強法です。

たとえば、古文が苦手だとします。1日30分程度勉強しても、なかなか得意にはなりません。

そこで、思い切って1週間、「古文漬け」になってみるのです。「この1週間は、ひたすら古文だけを勉強する」と決めて、それを実行します。はじめは苦痛かもしれませんが、3日、4日とたつうちに、それこそ漬物がいいあんばいに漬かってくるように、徐々に頭が古文になじんできます。

1週間たつころには、夢に古文が出てくるレベルにまで達しているかもしれません。

勉強は、夢に出るくらいまでやってこそ本物だ、と私は思っています。

年老いた孔子は、敬慕しつづけていた聖人、周公旦（注）の夢を見なくなったことに気づき、「自分はすっかり衰えてしまった」と嘆いたといいます。

古文が夢に出てこない、もしくはふだん頭に浮かばないとしたら、まだ漬かり方が十分ではないと考えてください。

また、「英語のリスニング漬け」を2週間やったのに、日本語で夢を見たら、「まだ夢が日本語だった」と落ち込んでほしいところです。

私は学生時代、運動部の合宿先で、夜中に突然、英語が聞こえてきて飛び起きたことがあります。ふと見ると、かたわらに寝ていた友人が英語で寝言を言っていました。

注）古代周王朝を建国した功労者。孔子がもっとも敬愛したという聖人。

彼は当時、留学をめざして猛勉強中でした。夢だけでなく寝言も英語になるところまできたのかと衝撃（しょうげき）を受けたものです。

あまりにも集中して勉強しすぎて、寝不足になるというのではやりすぎだと思いますが、1週間から2週間程度、自分で「ここが弱い」と思うところにドカンと〝兵力〟を投入してみると、苦手の壁を突き抜けられるかもしれません。

夢に出るくらいまで、とことん漬（つ）かりきる

一点集中で「ゾーン」に入る

能（よ）く寡（か）を以（もっ）て衆（しゅう）を撃（う）つ者は、則（すなわ）ち吾（わ）が与（とも）に戦う所の者約（やく）なればなり（虚実篇（きょじつへん））

これが
ゾーン！
集中してるからそっとしとこ…

少ない兵力で大きな敵を撃破するには、兵力を集約させて戦う「一点集中」が効果的である。孫子はこのことを重ねて説いています。

すでに述べた「古文漬け」や「英語のリスニング漬け」のように、一つのことに何日も**集中して取り組むという極端なやり方で勉強していると、いわゆる「ゾーン」に入った感覚を覚える**ことがあります。

ゾーンとは、自分がやっていることに完璧に没入する、究極の集中状態のことです。スポーツ選手がこの状態に入ると、周囲が無音に感じられたり、ボールがとまって見えたりするともいわれ、驚異的なパフォーマンスを発揮できるようになります。

勉強でも、「ゾーン」に入ることは可能です。

その経験ができること、**ゾーンに入る感覚をつかめることが、受験勉強の重要な副産物の一つ**だと私は思っています。

そして、「一点集中主義」で勉強すると、あとになって「やっておいてよかった」と思えるような成果が得られることがあります。

たとえば、英語を1日じゅう聴くことを1週間、2週間と続けていると、あるとき突然、何を言っているかクリアに聴き取れるようになったりします。

このように、「量」的な積み重ねが一定以上に達すると、「質」に転化する現象が往々にして起こるのです。

自転車に乗る練習を始めて、ずっと転んでばかりだったのに、あるとき突然、うまく乗れるようになって驚いた、という経験はよくあります。そこで「質」が変化すると、一生、自転車に乗れるようになります。これが「技」です。

「できる」という手ごたえが得られる瞬間に到達するには、それまでにある程度の「量」を投入することが不可欠です。「一点集中」を実践して、その効果を実感してみてほしいと思います。

勉強の「量」が「質」の変化をもたらす

迷いなく「とてもいい」勉強術を見つける

塗に由らざる所有り。軍に撃たざる所有り。城に攻めざる所有り。地に争わざる所有り（九変篇）

道には、経由してはならない道というものがある。攻撃してはならない敵軍、攻めてはいけない城、争奪してはいけない土地というものがある。孫子はそう言います。

これはつまり、**やる必要のないことは、やるべきではない**ということです。

通らなくてもいい道をわざわざ通ったり、さほど重要でない城を攻め落としたりすることに、余計なエネルギーを使ってはいけないのです。

やる価値のあることとないことをさっさと分けて、無駄(むだ)な労力を省くことが、受験勉強においてはとても大切です。

たとえば、自分が受験する学校の入試問題に出ないパターンの問題については、勉強する必要はありません。解いてみてどうも肌(はだ)があわないと感じる問題集は、ある程度のところで見切りをつけて、別のものを試しましょう。

また、友達と一緒(いっしょ)に勉強するほうがはかどると感じられるなら、そのやり方を続け、そうでないならやめる判断をします。

いろいろな勉強法を試してみて、それが自分にとっていいものか、そうでないかを判断するのは簡単です。いいか悪いかの判断がつかず、迷っている時点で、それはよくないのです。

「その勉強法で、勉強は進んでいる？」と聞かれて、「うーん、どうなんだろう」と考え込むようなら、それは進んでいるとはいえません。「いい」ときは、それが「いい」と自分ではっきりわかるものです。

たとえば、「とてもよい・まあまあよい・普通・あまりよくない・よくない」という5段階で評価するアンケート調査に回答するとき、ほんとうに「いい」と思っていれば、「とてもよい」に迷いなく丸をつけるはずです。

「まあまあよい」に丸をつけるとしたら、それは実質的には「普通」という心情を表していると言っていいでしょう。「普通」を選ぶにいたっては、もうほとんどNGを出しているようなものです。

ですから、私は、自分の授業や講演についてこの種の**アンケートをとる場合、「とてもよい」以外は、肯定的な評価としてカウントしない**ことにしています。

自分で自分にアンケートをしてみて、「まあまあよい」や「普通」レベルの勉強法であれば、それは選ばなくていいと思います。

迷わず「とてもよい」と答えられるなら、それは大事にすべきです。それくらい「はまる」勉強法を見つけてほしいと思います。

いいか悪いか迷ったら、やめる

わからない問題はすぐに答えを見る

少なければ則ち能く之れを逃れ、若かざれば則ち能く之れを避く（謀攻篇）

明らかにかなわない相手からは逃げる。孫子は、「逃げる」ことをネガティブな行動とは考えていません。

実力差のありすぎる敵にやみくもに立ち向かっても、いたずらに兵を失うだけです。

自軍の兵力が少なければ逃げ、戦力がまったくおよばなければ戦いを回避するという決断が、「負けない」ためには不可欠です。

問題集を解いていて、**わからない問題に出くわしたとき、いつまでも考えつづけるのは時間の無駄**（むだ）です。わからなければすぐに答えを見て理解し、その解き方や答えを覚えましょう。

そして、あらためてその問題を自分で解いてみるのです。これをくりかえすことで、知識をしっかりと定着させることができます。

わからない問題を30分以上も考えつづけたところで、答えが出ることはまずありませんが、その**問題が「わからない」ことは、問題を見て30秒でわかります**。

それなら、すみやかに答えを見て理解し、次の問題に進むほうが、同じ30分の使い方としてははるかに有益です。

勉強で重要なのは、与えられた時間内にいかに力をつけるかです。むずかしい問題と格闘しつづけることは、必ずしも力がつくことに結びつくわけではありません。

最終的に勝つためには、目先の戦いから潔く「逃げる」判断も必要です。

むずかしい問題とは格闘しない

すらすら読める英文で単語を仕入れる

遠き形には、勢均ければ以て戦いを挑み難く、戦わば而ち不利なり（地形篇）

遠い敵陣に無理に赴いて戦うのは不利になる。孫子はそう言います。

万全の態勢を整えて待ちかまえている遠くの敵のもとに、わざわざ労力をかけて出向いて戦いを挑んでも、大した戦果を得られないのは自明のことです。

それよりも、比較的乗り込みやすい身近な場所から攻めていって、少しずつ自分の領土を拡大していくほうが合理的です。

大学入試の英語というと、かつては複雑に構文が入り組んだ難解な英文を読み解かせるタイプの問題が出題されていました。ですが、**いまはむしろ、難度は普通レベルの長い文章を、ある程度速く読む能力が求められる傾向にある**と感じます。

したがって、受験勉強でもむずかしいテキストに無理に挑むよりは、比較的読みやすいテキストを大量に読むほうが効果的といえます。

知らない単語が8割を占める文章を読もうとしても、それは無理というものです。いきなりシェイクスピアの作品を原文で読むことに挑んでも、なじみのない古い英語なので、ほとんど読めずに挫折する可能性が高いでしょう。

反対に、8割程度の単語がわかる文章なら、すらすらと読めるはずです。それくらいのレベルのテキストを選び、どんどん読んでみるといいと思います。

たとえば、やさしい英語で書かれた「ラダー」シリーズ（IBCパブリッシング）というテキストシリーズは、語彙レベルが5段階に分かれていて、自分にあうレベルのものから、はしご（ラダー）を上るようにステップアップしていけるようになっています。太宰治の『走れメロス』（"Run, Melos, Run"）など、日本文学も多くそろっているので、話の筋がわかる、とっつきやすいものから読みはじめてみるのもいいでしょう。

つっかえずに読めると気分がよくなり、何冊も読み進められます。読み終えた英語本が増えていくとうれしくなりますよ。「自分は英語の本がこんなに読めるんだ」と実感できることが自信につながります。

ポイントは、**2割程度は知らない単語が交じっているレベルのものを選ぶ**ことです。その程度であれば、読んでいる途中で知らない単語が出てきても、前後の文脈から意味が推測できるので、引っかからずに読み進められます。

スピード感をもって読み進めながら、自然に新たな単語を仕入れ、語彙を増やしていくことができるのです。

地続きの地を進む要領で、自分の英語力の領域を広げていくやり方を試してみてください。

1冊の本でわからない単語は2割が目安

先生になったつもりでアウトプットしてみる

善く兵を用うる者の、手を攜うること一人を使うが若きは、已むを得ざらしむればなり（九地篇）

優れた将軍は、大勢の兵を、あたかも一人を操るように自在に動かすことができる。孫子はそう言います。その理由について、孫子はこう言っています。

「そう動かざるをえない状況に兵たちを置くからだ」

「団結して戦え」と命じられても、兵がそのとおりにするとはかぎりませんが、団結して戦わざるをえない状況になれば、おのずとそうするものです。

享保の改革、
寛政の改革、
天保の改革について…

つまり、**そうしなければならない状況をうまくつくりだす**ことが、人を動かすコツといえます。

受験勉強は、自分で自分を動かして進めていかなければなりません。たとえば、日本史の勉強で、「江戸(えど)時代の三大改革について覚えよう」と思っただけでは、なかなか覚えられません。

だとすれば、「覚えなければならない状況」を、自分で設定すればいいのです。

「自分は日本史の先生で、今日は江戸(えど)時代の三大改革について授業をしなければならない」

このようなミッション（任務）を、自分に課してみるのです。

先生として教えるからには、人名や年号を覚えるだけでなく、それぞれの改革がどんなもので、なぜ行われ、どういう結果をもたらしたのかを理解して、何も見ずに説明できるようにしておかなければなりません。

そして、その授業を、一人で実際にやってみます。これを、受験勉強に関する著書もあるお笑いコンビ、ロザンの菅広文（すがひろふみ）さんは「エアー授業」と呼んでいますが、私も受験生時代、「自己講義」と称してよくやっていました。

勉強したことを他人に教えるつもりで説明する、**アウトプットするというのは、知識や理解を定着させて忘れにくくする**ための、きわめて有効な方法なのです。

うまく自分を動かすミッションを考え、設定してみましょう。それは、単調になりがちな勉強法を工夫することでもあります。

一人授業のミッションを自分に課す

最強のお守り「ミスノート」をつくる

兵の勝は実を避けて虚を撃つ（虚実篇）

敵の強いところは避け、隙のあるところ、すなわち弱点を攻めるのが重要な戦い方である。孫子はそう説きます。

受験で攻略すべき弱点とは、自分自身の弱点にほかなりません。そのためにおすすめなのが、「ミスノート」をつくることです。

たとえば、歴史の苦手な項目や、覚えられない英単語など、自分がミスをしがちなことだけを書き抜いたノートをつくり、つねに手元に置いておきます。

単語集をまるごと1冊持ち歩くよりは、自分が覚えられない単語だけを集めた「自分だけの単語集」のほうがかさばらないし、チェックする効率もよくなります。

このノートをつくることで、自分の弱点が明確になり、そこを重点的に補強していくことができます。

もう一つの大きなメリットは、このノートをつくることによって、精神的な安定感が得られることです。

まちがいやすい問題をすべて書き出したノートを、入試当日に試験会場に持参し、試験の直前にざっと目を通しておくと、「これでミスしそうなところは全部確認したから大丈夫」と安心できて、自信をもって臨めます。

私は以前、司法試験を受験する人に勉強法の指導をしたことがあります。司法試験の勉強では、膨大（ぼうだい）な量の条文などを覚えなければなりません。受験勉強はハードで、「一つも漏（も）らさずに覚えなければ」「すべて完璧（かんぺき）に答えられるようにしておかなければ」というプレッシャーとの闘いでもあります。

そこで、彼に「ミスノート」をつくってもらうようにしました。問題集を解いていて、できなかった問題、わからなかったことを逐一（ちくいち）、ノートに書き込んでいくのです。

すると彼は、問題がぜんぜんできなくても、「それを全部ここに書いておけばいいんだ」と思うことで気持ちが楽になったそうです。

そうやって仕上がったノートは、彼にとって一種の〝お守り〟になりました。「**わからないことは全部ここに入っている**」と思えるようになったからです。

彼はそのノートを何度も見返し、書かれていることを復習し、司法試験の当日もそのノートを携えて臨んで、見事1回で合格を果たしたと報告を受けました。

漫画に登場する「デスノート」は人を消しますが、「ミスノート」はあなたを救います。ぜひ今日からつくりはじめてください。

過去の失敗を「合格お守り」に変える

第3章

守って攻める！ これが必勝のノウハウ

兵は拙速を聞くも、未だ巧久を睹ざるなり（作戦篇）

多少まずいところがあっても迅速にすませるほうが、完璧を期そうとして遅くなるよりはいい。孫子はそう言います。

「うまくてなおかつ速い」のが最上であるのはいうまでもありませんが、「うまくて遅い」と「まずくて速い」なら、後者のほうがいいと私も思います。

試験では、とにかく速く、ひととおり解き終えることを意識してください。それによって、見直しをする時間が確保できます。

試験の最後には必ず、見直しをするための時間を5分とるようにします。この5分によって、点数が5点くらい上がる可能性があります。

入試の採点をしていると、正解なのに解答欄をまちがえているとか、読みなおせばすぐ気づくはずの誤字・脱字があるなどの惜しい理由で、不正解にせざるをえないケースがよくあります。最後に見直しさえしていれば、点を失わずにすんだのにと思うと残念でなりません。

拙速であっても、とにかく「最後まで行き着く」ことが重要です。

たとえば、壁一面にペンキを塗る作業を依頼された場合、端からていねいに塗っていき、引き渡しの時間がきても、全体の半分しか塗り終えていなかったらどうでしょう。いくら半分は完璧に美しく塗ることができていても、その状態でお客さんに渡すわけにはいかないはずです。

それなら、まずは多少まずくても、全面をざっと塗る。それでもまだ時間に余裕があったら、ふたたび全面をざっと塗る。さらに3回目をあらかた塗ったところで時間切れになったとしても、その時点で、全面をそこそこの仕上がりで塗っているので、問題なく渡すことができます。

私は学生に対して、「制限時間20分で10個の問いに答える」といった課題を出すことがあります。

「むずかしいことを書かなくてもいいので、とにかく最後まで全問答えてください」と念を押すのですが、それでも終了時間になると、残り数問の答えが書けていない人がほとんどです。

「社会人になったら、それは致命的ですよ」

私は彼らにそう言います。

取り組むべきことがあるとき、**もっともよくないのは、「きちんとやろうとして、最後までやらない」こと**です。

「拙速」は悪いことだと思われがちですが、ていねいさよりも、スピードが勝負のカギとなる場面は少なくありません。もちろん、試験もその一つです。

「拙速は巧遅に勝る」を肝に銘じよう

やりやすい問題から手をつける

利に合わば<ruby>而<rt>すなわ</rt></ruby>ち動き、利に合わざれば而ち止む（九地篇）

有利な情勢であれば戦い、不利なら戦わない。有利、不利を見極めて動くことが大事だ。孫子はそう指摘しています。

入試で必要なのは、とにかく合格点をもぎとることです。目安としては、1科目60〜70点が合格ラインですから、80点や90点までとる必要はありません。

解けそうにない不利な問題は、**とりあえずあとまわしにする**こと。

そのかわり、自分に有利な問題、つまり自分が解きやすく、より確実に点がとれそうな問題に食らいついていきます。

それはすなわち、「**やることに優先順位をつけて取り組む**」ということです。これは、何をするにおいても重要なことです。

試験では、1問目から順に解くことにはこだわらず、有利あるいは重要と判断したものから手をつけていきます。

その優先順位をサッとつけられること、「問題AとBならAが優先だけど、次の問題CはAよりも重要」というふうに、状況に応じて優先順位を組みなおせることが大事です。

受験勉強でも、何をすべきかの優先順位をつけて進めることが大切なのですが、自分一人では的確に判断するのがむずかしい面があります。そういうときに、判断をサポートしてくれるコーチやチューターのような存在にそばにいてほしいですね。

そういうと、「家庭教師なんて、お金がかかるからつけられない」という声が聞こえてきそうですが、あなたのすぐ身近に頼れる存在がいます。

それは学校の先生です。幸いなことに、**学校の先生には無料で相談できるし**、**彼らの多くは親切**です。少なくとも、世間一般ではかなり親切な部類に属する人が多いことは確かです。そうでなければ、毎年何百人もの生徒を親身になって指導することなどできません。

そんな最良のコーチを利用しない手はありません。

「最近の模試の結果はこうです。この科目の点数が落ち込んでいるので、いまはこういう問題集をやっているのですが、これでいいでしょうか？」

「どの問題を重点的にやっておくといいでしょうか？」

といったことを、どんどん聞いてみましょう。

ある有名な経営者は、毎朝、その日にすることの優先順位をつけたうえで、1位のものだけをやるそうです。翌日は、前日にやり残した2位からやるのかと思いきや、あらためてその日の分の優先順位をつけ、また1位だけをやります。

つねにそのときに最優先すべきことを見極め、それだけに注力することが、彼の成功の秘訣（ひけつ）なのでしょう。

物事に優先順位をつけること、何を優先すべきかの判断を誤らないようにすることは、これからの人生においてもきわめて重要です。受験は、その練習を積む絶好の機会でもあるのです。

状況に応じてさっと優先順位を組みなおす

言葉をひねり出してでも空欄を埋める

兵の形は水に象る（虚実篇）

水のように柔軟に戦うべき。孫子はそう言います。

水には決まったかたちがなく、場所にあわせて自在にかたちを変えます。そのように、事前に決めた計画や戦い方にこだわらず、その場に応じて臨機応変に戦うことが重要です。

たとえば、英語の検定試験でも、実用英語技能検定（英検）やTOEIC、TOEFLでは、それぞれにあわせた取り組み方が必要です。大学入試においても、大学や学部によって試験には違いがあり、それにあわせて柔軟に対応することが求められます。試験で**どんな問題が出ても、柔軟に対処できる発想力も重要**です。自分がまったく知らないことについての問題が出たとしても、知っていることを総動員して、なんとか答えをひねり出さなければなりません。

国語の試験で、「文中の傍線部分の意味を説明しなさい」という問題に対して、傍線部分どころか全文の意味がさっぱりわからなくても、傍線部分の前後の言葉をつなげてとにかく文章をつくります。そうすれば、いくらかでも点数に結びつく可能性があります。

想定外の問題に直面しても、パニックを起こさず、「柔軟にやれることをやろう」と考えることが必要なのです。

それで1点ずつでももぎとるわけです。**空欄を残しておくなどもってのほか**です。どんなやり方をしてでも空欄を埋め、最後まで戦いきってください。

柔軟にやれることをやろう

思考力を問う問題は〝裏道〟からも攻める

戦勢は奇正に過ぎざるも、奇正の変は勝げて窮む可からざるなり
（勢篇）

戦いのかたちは正攻法と奇襲戦法のどちらかだが、その組み合わせは無限にある。両方をうまく使って攻めるのが大事。孫子はそう言います。

すでにお話ししたとおり、２０２０年度から始まる大学入学共通テストの眼目の一つは、自分で考える力を問うことです。暗記したことを答えさせるのではなく、何らかのかたちで**受験生の発想力をはかる問題が盛り込まれる**ことが予想されます。

そのような問題に対しては、基本に忠実な方法と、やわらかい考え方の両方を使ってアプローチすることが必要です。

「普通ならこう考えるだろう」と思われるやり方をまず試し、さらに角度を変えたり、〝裏道〟を探ったりして攻めていきます。常識的な人が通るまっすぐな道と、動物だけが分け入っていくような獣道（けものみち）、その両方を駆使して目的地をめざすイメージです。

ドイツの天才数学者ガウスは幼少のころ、「1から100までの数を全部足したらいくつになるか？」という問題の答えを即座に導き出し、教師を驚かせました。

この問題に対する普通の考え方は、「1＋2＋3……」と順番に全部足し合わせることですが、それでは相当に時間がかかります。

ガウスは、「まず1と100を足し、次に2と99を足す」というふうに、並んだ数を外側から順に足していく方法を思いつきます。それはすなわち、答えが101になる計算を50回行うということですから、答えは5050だとすぐにわかります。

1から100まで愚直に足し合わせる方法が、答えにいたるまっすぐな道だとすれば、ガウスのとった方法は、まさに〝裏道〟と呼べるものです。

あるいは、一部が欠けた図形の面積を求めるとき、図形の各部分の面積を出してそれを足し合わせる方法もあれば、まず欠けている部分も含めた全体の面積を計算し、そこから欠けている部分の面積を引くという考え方もあります。

「普通はこう考えるけど、こちらからも考えてみよう」というふうに、〝裏道〟を探り、**必ず二通り以上の解き方を想定できるようにしたい**ものです。

源義経は源平合戦の一つ、一ノ谷の戦い（1184年）で、断崖絶壁を馬で一気に駆け下りて敵の背後をつく「鵯越の逆落とし」と呼ばれる奇襲戦法により、勝利をあげたといわれます。

その崖を下りることはまず不可能と考えられていましたが、義経は鹿がそこを通ると聞き、「鹿が通れるなら、同じ四つ足の馬が通れないことはない」と考えて、この奇襲に踏み切った、と『平家物語』は伝えています。

こうした柔軟な発想で、もう一つの道を見つけられるかどうかが、思考力問題を攻略するポイントです。

基本以外の、もう一つの道を見つけ出す

出題者の意図を読み誤らないこと

辞庳くして備えの益す者は、進むなり（行軍篇）

相手が下手に出てくる場合は、攻撃しようとしている。態度や言葉だけでは相手の本心はわからない。的確な行動をとるために、相手の真意を見抜くことが必要。孫子

はそう説いています。

問題の出題者が、解答者に何を答えさせたがっているのか、その真意を読み取れないと正答することはできません。

解答するときの基本は、「聞かれていることに的確に答える」ことです。

「どうしてか」という問いに対しては、「〜だから」。「どういうことか」という問いに対しては、「〜ということ」のかたちで答えなければなりません。こうした基本がずれている解答が、意外に多いものです。

面接試験でも、面接官の質問からずれたことを答えると、いくらその内容が立派でも、評価はマイナスです。

テレビ局のアナウンサー採用試験は、毎年数千人の応募者に対して、合格者は数人という狭き門です。いったいどんな基準で選抜しているのかと、テレビ局のアナウンス部の人に聞いたことがあります。すると、「**相手の質問に的確に答えられることが重要**です」と話してくれました。

相手の真意を読み取り、的確に答える力は、職種を問わず、社会で生きていくうえで必要な能力です。面接であれ筆記であれ、試験はそうした能力を問うものだという面もあります。

相手の真意を読み取る練習は、ふだんの生活のなかでもできます。家族や友達と話しているとき、**相手の言葉はどういう気持ちや考えから出たものなのか**ということに、注意を払ってみましょう。

あるいは、テレビドラマを観るとき、登場人物の台詞（せりふ）の真意について解説しながら観る、というのも一つの方法です。

「この人がいまこう言ったのは、ほんとうはあの人のことが好きなのに、それを知られたくないからだ」というふうに、いちいち解説するのです。

私の実家は、こんな解説をしながらテレビドラマを観る家庭だったので、私も子供のころから、こうした習慣が身についていました。しかも、真意を推測するだけでなく、「いまからこの人はこう言う」という予測までして、登場人物が口を開く前に次の台詞をほぼ正確に言える域に達していました。
それがいま、いろいろな場面で役に立っていると感じています。ぜひ日常生活でも機会をとらえて、真意を見抜く練習をしてみてください。

相手の真意を見抜く練習を積み上げる

ケアレスミスを根絶して点数を上げる

奇勝無く、智名無く、勇功無し（形篇）

優れた勝利は目立たないものだ。孫子はそう言います。
勝てる勝負にきっちり勝つことこそが、孫子の考える「優れた勝利」です。そのような勝利は、奇抜でもなく、それによって名声を得たり讃えられたりすることはありません。

当たり前のことをきちんとやって、しっかり勝つ。試験では、ケアレスミス（不注意ミス）をなくすことが非常に重要です。**ケアレスミスをなくすだけで、数問分に相当する点数がとれる**可能性もあります。

当たり前のことだけに、受験対策では見過ごされがちな部分ですが、あらためて意識する必要があると思います。

少子化にともなう受験生の減少により、全体的な競争率からいえば、「受験戦争」という言葉はすでに過去のものといえます。**いまの受験は、自分のできることをしっかりやっていれば、なんとかなる**確率がかなり高いと思います。

AO入試にチャレンジしたり、一般入試でもできるだけたくさんの大学を受験したりするなど、**チャンスは可能なかぎり利用する**のも「できること」の一つです。

10の大学を受けて9敗1勝、でも、そのたった1勝が、受けたなかで一番の難関大学だったというケースもめずらしくありません。たまたまその大学の試験と相性がよく、思いがけない大学に合格を果たすということも、受験では往々にして起こります。志望順位が低かった大学でも、実際に受かってみると行きたくなるということもありますから、多数受けてみて損はないと思います。

２０２０年度から、家庭の収入に応じて大学の学費が減免（げんめん）される制度がスタートするなど、いまは経済状態にかかわらず大学で勉強できる状況が整ってきています。そうした状況も味方につけて、あきらめずに「優れた勝利」を手にしてほしいと思います。

守りを固め、楽観的なヤマを張らない

当たり前のことをきちんとやればいい

兵を用うるの法は、其の来たらざるを恃むこと無く、吾が以て待つこと有るを恃むなり（九変篇）

敵がやってこないことをあてにするのではなく、敵がいつ攻めてきてもいいだけの備えが自分側にあることを頼みとする。孫子はそう言います。

「敵はどうせ攻めてこないだろう」と楽観して、安心するのは危険です。ほんとうの安心を得るためには、**いつ攻め込まれても大丈夫なように、万全の守りを固めておく**以外にないのです。

試験では、自分がぜんぜん勉強していない、意外な範囲から問題が出ることもめずらしくありません。世界史で、ほぼすべての地域の歴史と年代を完璧に覚えたつもりで入試に臨んだら、唯一抜けていた東南アジア史がピンポイントで出題された、といったことも起こりえます。それが入試の奥深さです。

「どんな問題が出ても大丈夫」と言いきれるだけの準備をするのはなかなかむずかし

いと思います。

でも、少なくとも、「これは出ないだろう」という決めつけはせず、どんな問題が出されても、なるべく対応できるようにしておくことが大切です。

過去問で傾向はつかめますが、「だいたい、このあたりが出るはず」と**ヤマを張っても、外れる可能性が高いと思っていたほうがいい**でしょう。

入試の出題者は、きわめて経験豊富な人たちです。過去問を調べた受験生たちがどうヤマを張ってくるかを読み、それを上手に外してきますから、孫子の教えのとおり、できるだけの備えをしておくに限ります。

どこから攻められてもいいように準備する

「たまたま運が悪かった」はありえない

天の災いには非ずして、将の過ちなり（地形篇）

軍の失敗は、天の災いなどではなく、すべて将軍の過ちによるもの。孫子はそう断言します。

天運が勝敗を決めるという考えが主流だった当時、「**失敗は運が悪かったのではなく、人間（将軍）の責任**」とする孫子の発想は、革新的なものでした。

模試で思わしくない結果が出ると、つい、「運が悪かった」「たまたま苦手な問題が出た」というふうに、自分以外の何かのせいにしたくなるものです。

じつは私も、点数がとれないと「問題が悪い」「こんな問題を出しているようではダメだ」と考えるタイプでしたが、最終的に、それでは解決にいたらないとさすがに気がつきました。

点数が悪かったのは、たまたま悪かったのではなく、自分の準備がそれだけ不十分だったのです。それを率直に認める必要があります。

「**勝ちに不思議の勝ちあり、負けに不思議の負けなし**」という言葉があります。たまたま勝つことはあっても、たまたま負けることはありません。**負けるときは、そうなるだけの理由が必ずある**のです。

失敗や負けを他人や運のせいにして、現実を受けとめられない人は、大人の世界では幼稚（ようち）な人と見なされます。**受験勉強のよさは、現実を直視する心の強さが身につくこと**です。

「たまたま悪かった」ですませずに、どんなに苦しくても、「何が悪かったのか」を考えることこ自体が、いまやっておくべき価値のある勉強です。

自分の準備不足を率直に認めることが大事

第4章

合格まっしぐら！ これが勝者の習慣

勉強のゴールデンタイムを見つける

朝の気は鋭、昼の気は惰、暮れの気は帰（軍争篇）

朝方の気力は鋭く、昼ごろにはだらけ、暮れどきには萎える。孫子はそう言います。

この指摘には、納得する人も多いでしょう。

「だから、敵に攻撃を仕掛けるなら昼か夜がよい」と、孫子は続けます。

時間帯によるコンディションの変化といったものも、有利に戦うために積極的に利用すべきです。

人によって、気力が鋭いと感じられる時間帯はそれぞれですから、自分にとって勉強がはかどる時間帯を見つけ、その時間帯を効果的に使うことを考えます。

睡眠をとった直後で、頭が比較的すっきりしている午前中の時間帯を、大事な勉強にあてるのもいいでしょう。

私は夏休みなどに、友達と勉強合宿をしていましたが、そのときもいちばん頭を使う数学は午前中、次に集中したい英語は午後にして、比較的疲れていても勉強しやすい国語は夜にする、というふうに1日のスケジュールを決めていました。

私が以前、東大の授業で教えた学生は、東大の経済学部を卒業後、企業で働くかたわら法律を一から勉強し、短期間で司法試験に合格を果たしました。いったいどうやって勉強したのか聞いてみると、毎朝、出社前の1～2時間、会社の近くのカフェで勉強していたそうです。

朝に強い人なら、早朝の時間を活用すると勉強の効率が上がります。それに対して、夜になると乗ってくる人もいます。夜の12時以降に勉強するのはおすすめできませんが、自分にとっての「勉強のゴールデンタイム」を見極め、その時間帯に集中的にがんばるといいでしょう。

また、勉強の合間には、「昼寝タイム」をできるだけ入れたほうがいいと思います。

ハードに頭を使ったあとは、10～20分程度、軽く睡眠（すいみん）をとります。

私は受験勉強中に、この昼寝タイムを連発していました。極限まで頭を使い、脳が疲弊（ひへい）しきって気絶する寸前になったところで、いったん「軽く死ぬ」わけです。そこからよみがえると、脳がリフレッシュされているのを感じます。

横になって眠らなくても、5～10分程度ウトウトしたり、目を閉じたりするだけで効果があります。

勉強していて**頭がぼーっとしてきた、気がよどんできたと感じたら**、**5分間、目を閉じて頭を休ませ**、気を「鋭」の状態にリセットしましょう。

10～20分の昼寝タイムで気力をリセットする

智将は務めて敵に食む（作戦篇）

優れた将軍は、軍事物資を敵地で調達する。孫子はそう言います。

これは、敵のものでもうまく利用せよという教えです。ですから、周囲を見まわして、勉強ができる人に、どんなやり方で勉強しているのかをたずね、よさそうなものはどんどん取り入れましょう。

ここで気をつけたいのは、自分以外の受験生を競争相手と思わないことです。2人のうち1人しか合格できないという場合であれば、それは自分ともう一人の受験生との「競争」といえますが、本来、受験はそういうものではありません。

変に**ライバル意識をもちすぎて**、**情報の共有を避けるのは**、**互いにとって損**なことです。自分にとって益になるものをもっている相手からは、素直に学ぶ姿勢が大切です。

勉強法についての本も、さまざまなものが出ていますので、そうした本から勉強のやり方を仕入れるのもいいでしょう。

図書館などで、勉強法の本を探して目を通してみてください。でも、本に書かれている内容を、すべて実践する必要はありません。

目次をざっとチェックして、自分にとって有用だと思えるものだけを取り入れればいいのです。1冊のなかに1項目でも役に立つものが見つかれば、それで十分、プラスです。

「このやり方がいいよ」「この問題集をやるといいよ」と教えられても、それをぜんぜん実行しない人がよくいますが、情報をただ仕入れるだけでは意味がありません。

結果的に自分にはあわない可能性があるとしても、**すすめられたものは一度試してみることが大事**です。

ほかの受験生のいいところを素直に学ぼう

互いに教え合える「勉友」をつくる

越人と呉人の相い悪むも、其の舟を同じゅうして済るに当たりては、相い救うこと左右の手の若し
（九地篇）

越と呉という、互いに憎み合う国の人間どうしでも、同じ舟に乗り合わせて川を渡ることになると、まるで左手と右手のように一致協力して助け合う。孫子はそう言います。

災難に直面したり、利害が一致したりすると、仲が悪い者どうしでも協力し合ったり、助け合ったりするという意味の「呉越同舟」という四字熟語は、孫子のこの言葉が語源です。

「憎み合う」というほどではないにせよ、それほど仲がいいわけではない友達とでも、お互いに助け合って勉強することで、勉強がよく進むこともあります。

たとえば、世界史がよくできるクラスメートがいて、自分は英語が得意なら、それを**互いに教え合うかたちで勉強すれば、どちらにとってもプラスになります**。

いつも一緒に勉強する仲のいい友達のほかに、「この科目はこの人と勉強する」という勉強友達、すなわち「勉友」をつくるといいと思います。

相手の得意科目が自分の苦手科目で、自分の得意科目が相手の苦手科目というふうに、相互に補完し合える間柄であれば理想的です。

すでにお話ししたとおり、**習い覚えたことを人に教えるのは、とても効果的な勉強術**です。得意なことを教える側も、それによって勉強になるので、「教え合いながら勉強する」というのは、双方にとってメリットがきわめて大きいといえます。

まさに左手と右手のように、絶妙なバランスで協力し合える「勉友」がいないか、周囲を見まわしてみてください。

相互に補完し合える相手を見つけよう

テキパキ動けば勉強と部活は両立できる

⚜兵は勝つを貴びて、久しきを貴ばず（作戦篇）

戦争は勝つことに価値があるのであって、長期戦は尊ばれない。長引くことによる損失をふまえ、ダラダラと長く戦っても得るものは少ない。孫子はそう言います。

勉強は結果を出すためのもので、ダラダラと長くやればいいというものではありません。この**ダラダラ勉強をやめるポイントは**、**「時間を区切る」こと**です。勉強にかぎらず、「ここまでの時間内にやらなければならない」という区切りがあれば、何をするにせよ、おのずとテキパキ動くものです。

第98回全国高校サッカー選手権大会で優勝した静岡学園は、高い大学進学実績をあげている進学校でもあり、サッカー部は文部両道で知られています。

300人近い部員がいるため、全員が一度に練習することがむずかしく、練習時間は2部制になっています。遅い時間から練習する部員は、練習が始まるまで待ち時間ができますが、部員たちはこの時間を自主的に勉強にあてているそうです。

練習時間と勉強時間を区切り、どちらもテキパキやることで効率を上げ、ハードな部活と受験勉強を両立させているのです。

時間を区切ると、成果が上がりやすくなるのは確かです。誰(だれ)かに仕事を頼みたいときは、暇そうな人よりも、あえて忙しい人に頼むといいといわれます。忙しい人はダラダラやっている暇がないので、すぐに仕上げてくれるからです。

私も試験やレポートの採点を終わらせるのが早いので、大学の事務スタッフから「お忙しいのに早いですね」と驚かれるのですが、むしろ忙しいからこそ早いのです。

一方で、ダラダラ長くやるのが性(しょう)にあっていて、そのほうが勉強しやすいというタイプの人もいます。集中するとひどく疲れてしまい、勉強が続けられないけれど、ダラダラとならできる、テレビがつけっぱなしのリビングで勉強するとか、ちょっと漫画を読んでは勉強し、また漫画を読んでというやり方のほうがはかどる、といった人たちです。

その場合は、無理にテキパキしようとせず、ダラダラ勉強を究めてもいいと思います。自分にあった方法で勝つのがベストです。

時間を区切って効率を上げる

やる気スイッチを上手に押す

善く戦う者は、之れを勢に求め、人に責めず（勢篇）

個々の兵の力量に頼るのではなく、軍全体に勢いをつけることが、勝つためには大事だ。孫子はそう言います。

戦闘能力が必ずしも高くない兵たちを使って勝つには、彼らを「勢いに乗せる」ことが必要です。

丸い石が斜面を転がるような勢いを軍に与えるために、いかに兵の配置などを工夫するかがポイントになるのです。

受験勉強でも、いつでもやる気にあふれ、さくさく勉強が進むのなら苦労しませんが、世の中、そんな人ばかりではありません。**意識して自分に「勢い」をつけて、やる気を高める工夫をすることが大切**です。

たとえば、**勉強の合間に、こまめに水を飲む**というのもその一つです。疲れるとのどが渇きがちですから、水を飲んで渇きをいやせば頭がすっきり働くようになります。

水だけでは飽きるという場合は、麦茶などカフェインの入っていないお茶もいいでしょう。

ただ、スポーツドリンクなど糖分が含まれたものは、頻繁に飲みすぎないようにしてください。

また、ずっと座りっぱなしでいるのではなく、ときどき立ち上がって部屋の中で軽くジャンプする、お手洗いに行く、家のまわりを一周する、飼っている犬をなでるなど、気分転換になることをしてコンディションを整えましょう。

ちなみに、前向きに勉強に取り組んでいる人と話したり、合格体験記などを読んだりするのも、いい刺激になります。

以前、東大の医学部に合格した人に、「実際のところ、夏休みは1日にどのくらい勉強したのか」と聞いたら、「だいたい14〜15時間ですかね」と、こともなげに言っていました。

それだけの努力ができること自体が天才的だと感じますが、結果を出す人は、それなりのことをしているわけです。そういう話を見聞きすると、モチベーションが上がってきます。

スポーツが好きな人は、スポーツ選手やチームが、ふだんどんな練習をしているのかを追ったドキュメンタリー番組などを観ると、勝利をつかむための想像を絶する努力に胸を打たれ、気持ちが奮い立つのではないでしょうか。

試合後の選手のインタビューや、負けて泣きくずれる姿からも、伝わるものがあります。そんな刺激が、自分を前に進ませる勢いになります。

一杯の水が勉強への勢いをつける

自分でルールを設定し、自分を甘やかさない

法とは、曲制・官道・主用なり　（計篇）

軍の編成や監督、指揮に関する決まりがきちんと定まっていることが大事。孫子は

そう言います。

つまり、組織にはルールが不可欠だということです。ルールというと窮屈なようですが、「すべきこと」が明示されることにより、動きやすくなる面があるのは確かです。

受験勉強は、基本的に自分一人で行うものですから、誰かがルールを決めてくれるわけではありません。何でも自分の裁量で進めることができる反面、サボるのも、だらけるのも自由です。意志の弱い人は、どこまでも自分を甘やかすことができます。

そこで、自分自身でルールを決めます。

といっても、ちょっとしたことでかまいません。「この問題集をここまでやったらゲームをしていい」とか、「30分勉強したら、ごほうびにチョコレートを1粒食べていい」という程度のことでいいのです。

自分の意志の力だけでがんばろうとは考えず、「これはルールだから」と決めると、むしろ意志が弱くても続けられます。

自分でルールをつくり、そのとおり実行できることが大事です。これができない人は、この先、ハードな仕事に直面したときに非常に苦労することになると思います。

日々の勉強で「自分ルール」を設定することは、自分をコントロールする能力、すなわち**自制心を高める**ことにもつながります。

ルールがあるから自由が生まれる

勉強したくないときは「これ」だけやる

正正の旗を要うること毋く、堂堂の陣を撃つこと毋し（軍争篇）

整然と旗を掲げて向かってくる敵を迎え撃ったり、重厚な布陣の敵に攻め入ったりしてはならない。相手が万全の態勢にあるときは、無理に戦うべきではない。孫子はそう言います。

これは、形勢が不利な場面で、どう対処すればいいかの教えです。受験勉強でいえば、「勉強がまったく進まない」「やる気にならない」という、いわゆるスランプにどう立ち向かうかについて考えてみましょう。

まず、完全に「戦わない」という方法があります。**どうしても勉強する気になれなかったら、まったく勉強しないと決めて過ごす日があってもいい**と思います。「今日は1日、○○三昧にしよう」と決め、これで当分のあいだ、○○はしなくていいと思えるくらい存分に楽しむ、といった吹っ切り方もあります。

反対に、あえて通常のスケジュールどおりに勉強して、できるだけスランプを意識しないようにする、という対処法もあります。

そしてもう一つが、勉強する気になるものだけをやるという方法です。

なんとなく食欲がない日でも、たとえばメロンなら食べられるというように、これならいけるという食べ物が、何かしらあると思います。

私の場合でいえば、本を読むのは食事と同じように日常的なことですが、それでもなんとなく読むのが面倒な気分になることがあります。

そういうとき、手元に1冊の本しかなければ、それを開く気にはなれず、「本が読めない、読まない」状態で過ごすことになるかもしれません。

でも、私はたいてい、20～30冊ほどの本を並行して読んでいるので、どんな気分のときでも「これなら読める」と思えるものが、必ずそのなかにあります。

「今日は宇宙の本なら読めそうだな」

「重厚な小説は厳しいけど、ミステリーならいけそうだ」

というふうに、その日の気分にあわせて選んでいけば、なにかしら手にとれるので、本そのものが読めなくなることはありません。

そうやって、今日まで何十年も本を読みつづけています。

勉強も同じです。

やる気がなくても、「これはできそうだな」と思うものを選んで手をつけるようにすれば、何もできないというスランプの深い穴にはまることは避けられます。それも、無理に戦わないやり方の一つです。

勉強する気になるものだけをやる

目標を箇条書きにして貼っておく

鼓金・旌旗なる者は、民の耳目を壱にする所以なり（軍争篇）

太鼓などの鳴り物や旗といったものは、兵たちの耳や目をそちらに向かわせ、気持ちを一つにさせる。孫子はそう言います。

みんなの気持ちを鼓舞し、目標に向かわせるのに役立つアイテムを活用しようということです。

いまでいえば、サッカーやラグビー、野球の試合で掲げられる、「ワンチーム」「一球入魂」などのスローガンやキャッチフレーズを大書した横断幕などが、それにあたるでしょう。

目標や、自分がやるべきことを紙に書いて、目につくところに貼るのは、モチベーションを上げるためのいい方法です。

- **無駄を省く**
- **スピード重視**
- **とにかく5分でもいいから始める**

など、意識しておきたいことを、まずは思いつくかぎり書いてみてください。

この本で出合った孫子の言葉のなかから、肝に銘じたいものを選んで書くのもいいでしょう。

書くことによって、文字が自分に影響を与えますから、「書く」という行為自体にも大きな意味があります。

あの西郷隆盛も、島流しにあっていたあいだ、尊敬する儒学者、佐藤一斎（『言志四録』の著者）の言葉をひたすら書き写していたといわれます。

書くことそのものが一つの精神修養であり、それによって西郷は失意の日々のなか、己の精神力を鍛えていったのです。

書いてみることで、めざすものがはっきりしたり、心が整ったりする面もあります。

その文字を日常的に目にしていれば、自然に気力が湧いてくるはずです。

結果を出すために、役立ちそうなことはどんなことでも試してみたほうがいいと思います。

書くことは立派な精神修養になる

先知なる者は、鬼神に取る可からず（用間篇）

事前情報は、鬼神から聞き出せるものではない。孫子はそう言います。

孫子の考えは、きわめて現実的です。有用な情報は、神のお告げや占いなどによってもたらされるのではなく、人知、すなわち人間が知性を働かせることによって得られるのだと断言しています。

受験に関する有益な情報も、ただ待っていればお告げのように降ってくるものではありません。自分から積極的にとりにいく必要があります。

誰かに聞くというのは、情報を得るための非常に効率のいい方法です。ただし、同じ受験生である友達に聞いてまわっても、あまり意味はありません。大学受験をめざしている受験生は、基本的には、大学受験に合格した経験をもたない人だからです。経験のない人から得られる情報にはかぎりがあります。

その点、学校の先生は、自身の経験のみならず、実際に合格した受験生を毎年たくさん見ています。彼らは受験や勉強の専門家であり、その言葉には価値があります。「こういう勉強をした人が、この大学に受かった」という事例を多数知っている人が、科目ごとにそろっているのですから、その人たちと良好な関係を保ち、どんどん質問して情報を得たいところです。

その際に気をつけたいのは、まず何が聞きたいのかを明確にしてから質問することです。

「この科目のこの部分はどう勉強したらいいですか」

というようにポイントを押さえて相談し、10分ほどで切りあげましょう。

たくさんの生徒を相手にしている先生の時間を、一人であまり奪いすぎないようにする配慮が不可欠です。

相談の最後に、「教えていただいたことをやってみて、2週間後くらいにまた報告とご相談をさせてください」と伝え、実際にそのころふたたび訪ねるようにします。熱意やまじめに取り組む姿勢が伝われば、先生もより親身になってくれると思います。

学校の先生を味方につけよう

スケジュールは1週間単位で管理する

衆を治むること寡を治むるが如くするは、分数是れなり（勢篇）

大きな兵力も、部隊に分けることにより、小さな兵力を統率するかのように整然と治めることができる。孫子はそう言います。

この**小さな単位に分けることで管理しやすくなる**という孫子の考えは、そのままスケジュール管理に応用できます。

勉強の計画は、1年とか1カ月とか、いろいろな単位での立て方がありますが、重要なのは「1週間の計画」です。あまり先まで計画を立てても、たいていそのとおりにはいきません。まずは**目の前の「この1週間」をどう過ごすのか**を考えます。

この1週間にやるべきことを決め、次にそれを月曜日から金曜日までの5日間に振り分けます。これで、「月曜日はこの問題集をこのページまでやる」など、毎日の具体的な行動予定が立ちます。

そして、日曜日ごとに、前週の計画がどこまで実行できたかをチェックし、次の1週間分の計画を立てるのです。

あるいは、2週間分の計画を立てておき、1週間経過したところで前週の進捗状況をふまえて次週分の計画を組みなおす、というやり方でもいいと思います。

　これをくりかえすことにより、適切なスケジュール管理ができるようになります。1日単位のスケジュールなら、書き出すまでもなく把握できるし、かといって1カ月単位となると、きちんと管理するには少し長すぎます。その意味で、1週間はちょうどいい単位なのです。

　1週間の計画表づくりには手帳を活用してもいいですし、余白が大きめのカレンダーにどんどん書き込んでいってもいいでしょう。3色のボールペンを使って、絶対やることは赤、できればやっておきたいことは青、勉強以外に自分の楽しみとしてやりたいことは緑、などと色分けして記入すると、パッと見てわかりやすくなります。

勉強だけでなく、心をうるおすエンターテインメントの時間も必要なので、「このアニメを観る」といった娯楽の予定も計画表に書き込んでおきましょう。

計画表をつくるときのポイントは、やることのリストの一つひとつに、四角いチェックボックスをつくっておくことです。そして、やり終えるごとに、そこにチェックを入れます。

おもしろいことに、チェックボックスがあると、そこにチェックを入れたくなります。そして、チェックを入れたいがために、リストを消化しようとする意欲が湧き、結果的に実行力が上がります。

チェックボックスをつくるだけで、ほとんどの勉強や仕事はうまくいくとさえ私は思っています。ぜひ試してみてください。

計画表にはチェックボックスを忘れずに

勉強がはかどる場所を見つける

天とは、陰陽・寒暑・時制なり。地とは、高下・広狭・遠近・険易・死生なり（計篇）

日陰と日なた、寒い暑いといった天候の条件や、土地の高低、広い狭いなど地形の条件。それらを把握したうえで戦う場所を選ぶことが重要。孫子はそう言います。

戦う場所、すなわち、**勉強する環境は、勉強の効率を左右する重要なポイント**です。

勉強がはかどると感じる環境は、人によってさまざまです。自室にこもるのが一番という人もいれば、家族がいるリビングのほうが寂しくなくて勉強しやすいという人もいます。

また、無音でなければダメという人もいる一方で、テレビがついていたり、音楽が流れていたりするほうが集中できるという人もいるでしょう。

「ここならやる気になる」という、あなたならではの環境を見つけてください。

自宅ではぜんぜん勉強する気にならないときでも、適度に他人の気配がある図書館やカフェに行くとやる気が出る、ということもあります。

定期テストの時期などに、200円程度でコーヒーが飲めるカフェで、熱心に勉強している高校生たちのグループを見かけます。

互いに教え合ったりして楽しそうなその様子を、「これも青春のワンシーンだな」と、横からほほえましく眺(なが)めている私自身もまた、そこで著書の校正刷りのチェックなどの仕事をしているわけです。

「戦う場所選び」においては、私もやっていることは彼らと変わりません。

私も自宅で仕事をするのがつらいときは、仕事の資料などを抱えてカフェをまわります。1日に3、4軒まわることもあります。コーヒー代や移動の労力がかかるとしても、場所を変えるだけで仕事のモチベーションが上がるのなら、そのメリットのほうがはるかに大きいと考えます。

場所以外にも、環境にはさまざまな要素があり、音楽もその一つです。私は、やる気にならないときに聴く音楽を決めています。アメリカのロックギタリスト、スティーヴ・スティーヴンスのフラメンコギターのアルバムで、それを聴くと気分が上がり、面倒な作業にも思わず手を出すようになります。

やる気をかきたてるというのは、そう簡単ではなく、万人に効果のある方法はありません。だからこそ、自分にとって「効く」環境を見つけ、それを活用することが、十分に力を発揮するためには大切なのです。

環境を変えると勉強の効率が上がる

第5章

受験も人生も！これが勝利の法則

他人にどう思われるかなんて気にしない

善く戦う者は、人を致すも人に致されず（虚実篇）

戦いが上手な人は、相手を思うままに動かすが、決して相手に思うままに動かされることはない。孫子はそう言います。

これは、「**相手に振りまわされてはいけない**」という意味です。

何かを決めるときは、ほかの人の意見に振りまわされるべきではありません。志望校選びでも、他人にどう思われるかを気にする必要はなく、自分自身がその高校や大学に行きたいと思うなら、基本的にはそれでいいと思います。

ただ、それは、「他人の意見は聞かなくてもいい」という意味ではありません。とくに、経験豊富な人の意見は大事にしたほうがいいと思います。

たとえば、大学選びで迷ったときに、経験豊富な人が、「この大学は、こういう分野で活躍している卒業生が多いからいいと思うよ」といったことを話してくれたとすれば、それは参考にする意味があると思います。

しかし、学校の友達は、経験豊富な人でも何でもないのですから、その意見を受けとめはしても、すべて受け入れる必要はありません。

たとえば、あなたが受験勉強のために、部活動を2年生の途中でやめたとしたら、「途中でやめるなんて根性がない」と友達から非難されるかもしれません。

でも、**自分で考えて決断したのであれば、どう思われても気にしないこと**です。その友達は、部活を続けながら勉強して受験に合格できるかもしれません。でも、自分は両立がむずかしいと考えて、勉強に専念することを決めたのだとすれば、その友達がどうであるかということは、もはや関係ないのです。

学校の友達にどう思われるかが何よりも気になる、という人もいるかもしれませんが、少し考えてみてください。

進級してクラス替えがあると、クラスが分かれた友達とは疎遠になることが多いものです。ましてや卒業して進路が分かれたりすれば、大半の同級生とはほとんど話す機会はなくなるでしょう。

私たちは誰もが、自分の人生を自分で生きていくしかありません。**自分の人生の責任は、自分でとるしかない**のです。

学校の友達が、あなたの人生の責任をとってくれるわけではありません。

あなたの人生において、後悔することのない決断を下せるのは、あなた以外にはいないということを忘れないようにしてください。

現実に対して「やや辛口」の見方を意識する

経験豊富な人の意見には耳を傾けよう

之れを犯うるに事を以てし、告ぐるに言を以てする勿れ。之れを犯うるに害を以てし、告ぐるに利を以てする勿れ（九地篇）

兵には不利な状況だけを伝え、利益については教えてはならない。孫子はそう言います。

勝てる見込みが高い戦いであっても、そのことは兵たちにはいっさい教えず、いかに厳しい状況であるかだけを伝えて、必死に戦わせなさいということです。

孫子のこの考えは、兵からすると「ひどい」のひと言ですが、勝てるとわかっていて戦えば、気のゆるみから、むしろ負けるリスクが高まります。「負けるかもしれない」という**危機感や緊張感があってこそ、隙のない戦いができる**のです。

模試で一度でもいい点数をとると、「これでもう合格は見えた」とばかりに安心する人がいます。たまたまその模試だけ、瞬間値的にいい点数が出せただけかもしれないのに、その点数だけをよりどころに楽観し、勉強のペースを落とすのは危険です。

以前の試験でどれだけいい点数をとったかという過去の栄光や、有利な情報は、いったんすべて忘れてください。なまじ過去の栄光があるために、その幻影（げんえい）にとらわれて努力しなくなり、結果的に不本意な状況に陥（おちい）った事例は数多くあります。

小学生時代、足が速くて女子にモテモテだった男子が、中学、高校と進むにつれて、足の速さだけが人気の条件ではなくなるとともに、急激にモテなくなっていった。それでも、かつてのモテモテな自分という幻想（げんそう）が捨てられず、何一つ手を打たなかったために、ついに彼女ができないまま高校生活が終わった――そんな苦い実話を、身近で見聞きしたことがある人も多いのではないでしょうか。

まずは、現実と向き合いましょう。少しでも楽観できそうな材料があると、それにすがりたくなるものですが、そこで足がとまってしまうのなら、そうしたものはいっさい目に入れないほうが賢明（けんめい）です。

現実を甘く見るのがよくないのは当然ですが、**現実をありのままに見ているつもりでも、**無意識のうちに**自分にとって都合のいい、やや甘い見方になりがち**です。

現実に対して、「やや辛口」の見方をするというくらいのスタンスが、ちょうどいいといえるでしょう。

過去の栄光ではなく、ありのままの現実と向き合う

今後問われるのは高い「プレゼン力」

将にして九変の利に通ぜざる者は、地形を知ると雖も、地の利を得ること能わず（九変篇）

戦場の地形を知っているだけでは、その地形がもたらす利益を得ることはできない。孫子はそう言います。

これは、「知識だけでは勝てない。**現場の状況に応じて臨機応変に戦うべき**」という

意味です。

知識の量を増やすだけでは、これからの入試には通用しません。

これまでお話ししてきたとおり、これからの入試では、知識を当てはめるだけでは答えられない問題、ものの考え方の柔軟性を試す問題などが多く出題されるようになります。思考力や判断力、表現力を問う傾向が強まることは、筆記試験においても、AO入試の面接試験などにおいても同様です。

ここで着目したいのは、自分の頭で考えるだけでなく、それを表現する、つまり**アウトプットの能力までが評価の対象になる**ことです。

出された問題に答えるだけではなく、自分で問いを立て、自分で考え、それを自分で表現することが求められると言ってもいいでしょう。自分が何をどのようなプロセスで考え、どんな結論にいたったのかを、きちんと説明できることが重要なのです。

私は大学で学生たちに、「ショートコントで表現する」という課題を出すことがあります。「アインシュタインが予言した重力波」とか「英文法の三人称単数現在のｓ」といったお題を与え、それがどういうものか、ショートコント仕立てで説明させるのです。

学生たちはみんな、最初は目を白黒させながらも、「動詞につける『s』を宅配便で届ける」といった独創的な表現をひねり出し、なかなかのレベルのコントを披露（ひろう）してくれます。

どんなコントにすればいいかを考え、どうすればウケるかを判断し、それをみんなの前で表現しなければならないうえに、スベる勇気も試されるわけです。これをやると、これから求められる新しい学力をフルコースで鍛（きた）えることができます。

こうして、あらゆることをコントや替え歌にして、その場で発表するという課題を出しつづけたところ、どの学生も異常なまでに柔軟性（じゅうなんせい）が身につき、どんな無茶ぶりにも応えられるようになりました。

「おかげで就職活動の面接でも、どんな質問にも動じることなく答えることができ、非常に役立った」

という声も聞きます。

「どんな面接も、あの課題よりはぜんぜんマシ」だと感じられるそうです。

考えをまとめ、それをプレゼンテーションする力が、今後ますます重要な能力として評価されるようになります。それを伸ばすために、**自分が考えたことや調べたことを人前で発表する**機会をもつなど、アウトプットすることを意識してみるといいと思います。

孫子が言うように、「現場の状況に応じて臨機応変に」考え、表現する力を磨いていくことが大切です。

表現の幅を広げるプレゼンに挑戦しよう

情報は「事実」と「意見」に分けて読み解く

明主・賢将の、動きて人に勝ち、成功の衆に出づる所以の者は、先知なり（用間篇）

優れた将軍が戦いに勝ち、成功をおさめることができるのは、重要な情報をあらかじめ知っているからだ。孫子はそう言います。

これはつまり、勝負を左右するのは「情報力」だということです。

情報力の一つは、情報を集める力であり、もう一つは、集めた情報のなかから必要なものを抽出したり、情報の信憑性を見極めたりする力、すなわち情報を読み解く力です。

インターネットであらゆる情報が得られる現代においては、後者の重要性がより高まっています。そのため、大学入試でも、こうした力をはかる問題が増えることが見込まれます。

大学入学共通テストの試行調査（プレテスト）では、国語で複数の文章や資料、図表などから必要な情報を読み取り、答えを出すかたちの読解問題が出題されています。

こうした読解問題に強くなるためのポイントはいくつかあります。

まず、文章の内容を「事実」と「意見」に分けることです。**客観的な事実について説明している部分と、書き手自身の考えが書かれている部分を区別**します。

複数の考え方が示されている場合は、それぞれの考え方を分けます。「この考え方がAで、こっちの考え方がB、その二つを合わせるとCになる」といった具合に、記号をつけて整理します。これらを行うことで、読解力の精度はかなり上がります。

また、文章のなかから重要なポイントを見つけ出すには、**文章中の重要そうだと思われる言葉や語句を丸で囲んでいく**ことが大事です。こうしてキーワードを抜き出すことで、要点がつかみやすくなります。

文章内に数字のデータが出てくる場合は、数字も丸で囲みます。

グラフの読み取りでは、「変化」に着目します。グラフの線が急に上向いているなどの変化が生じている部分をよく見て、なぜそのように変化したのかを考えるのです。

こうしたポイントを押さえるようにすると、情報を読み解く力が上がっていくはずです。いまという時代を生きるうえでとても大切なこの力を、十分に身につけておきたいものです。

文章中のキーワードを明確にしよう

変わる大学入試には情報収集で備える

爵禄百金を愛みて、敵の情を知らざる者は、不仁の至りなり（用間篇）

間諜、つまりスパイに払う報酬を惜しんで、敵情を探知しようとしないのは、自国民への不義理にほかならない。孫子はそう言います。

これは、「情報収集を怠ってはならない」という厳しい戒めの言葉です。

受験には情報戦の側面があることは確かです。とくに、いまは入試が大きく変わっていく転換期です。受験という戦いに挑むにあたって、相手である入試が変わっていくのであれば、自分自身の戦力を上げると同時に、**相手がどう変わるのかを探り、備えることが不可欠**です。

孫子の時代の将軍は、有益な情報をいち早くつかむために間諜を使っていました。現代の私たちにとっての間諜ともいえる存在がインターネットです。

受験に関するほぼあらゆる情報に、私たちはインターネットを使ってアクセスすることができます。受験のプロによる入試問題の分析もあれば、実際に合格した受験生のリアルな体験談もあります。まさに**自分自身の目や足が届かないさまざまな場所に、無数のスパイを放っている**ようなものです。

この有能なスパイを、最大限に活用しましょう。大学入学共通テストは、英語民間試験、国語と数学の記述式問題の導入が見送られるなど揺れ動いていますが、そのような動向に関する最新の情報や、プレテストの問題も、インターネット上で入手することができます。

そうした労力を惜しまないことが、どんどん変わる相手を見失うことなく、戦いの準備を進めるためには必要なのです。

インターネットを有能なスパイとして使いこなす

受験のゴールはどこにある？

夫れ戦いて勝ち攻めて得るも、其の功を隋わざる者は凶なり（火攻篇）

たとえ戦いに勝っても、本来の目的を果たせなければ失敗。孫子はそう言います。

第1志望に合格することが受験に「勝つ」ことで、それ以外の結果はすべて「負け」だと考える人が多くいるようです。しかし、どんな結果であろうと、確かなのは**受験勉強をしたこと自体に価値がある**ということです。

オリンピックに出場した選手がメダルに届かなくても、高校の野球部が甲子園に出場できなくても、その野球部の部員がレギュラーの座を勝ち取れなくても、そこまでの努力は無駄ではなく、むしろその努力にこそ価値があるのです。**大事なのは結果よりもプロセス**です。

ただ、受験本番までは、あくまでも「勝ち」という結果をめざすべきです。戦う前から「結果よりプロセス」と考えていたのでは、最大限の努力はできません。それではプロセスさえも、中途半端なものになってしまいます。

受験では、合格というゴールをめざします。「勝ち」をとことん意識します。でも、終わったあと、一生を通じて大切になるのはプロセスです。

最近、印象的なコメントを読みました。卓球の全日本選手権の熱戦を伝えるニュース記事に、こんな内容が寄せられていました。

「かつて自分も卓球をやっていた。そのおかげで今日のこの試合の感動を、より強く深く味わうことができた。ほんとうに卓球をやっていてよかった」

そのコメントの書き手は卓球専門のコラムニストの方で、もしかしたら過去には一流の卓球選手をめざしていた時期があったのかもしれません。

全日本選手権で活躍することなどが「勝ち」なら、観戦コメントを寄せる立場は「勝ち」とは呼べないかもしれません。

でも、この方には、本気で卓球をやってきたというプロセスがあります。そして、それをもっている人だけが味わえる感動を噛みしめる喜びを手にしています。

努力してきたプロセスがあることで、私たちは世の中を深く味わうことができるのです。そうした豊かさをもたらしてくれるプロセスを獲得することが、受験にかぎらずさまざまな戦いに挑むことの「本来の目的」だといえるでしょう。

一生懸命に勉強した結果、受験に失敗したとしても、それもまたこの世の味わいです。

私自身は、中学受験に始まり、高校受験、大学受験、そして大学院受験まで経験しています。まさに受験まみれの道を歩んできましたが、それによって精神力が磨かれたと思っています。

「賢人と愚人との別は学ぶと学ばざるとによりてできるものなり」

と、福澤諭吉はその著『学問のすすめ』（『日本の名著33 福沢諭吉』中央公論社）のなかで言っています。賢い人とそうでない人を分けるのは、勉強するかしないかという、その一点です。

受験は基本的に、勉強することによってのみ通過できる関門です。その意味では、まさに福澤が理想とする公正な競争の姿であり、私はそれをくぐりぬけてきたという自負があります。

私はそのようにして、自力で道を切り開くしかありませんでした。私にかぎらず、よほど恵まれた境遇の人以外は誰もがそうでしょう。素手で戦って、自分で道を切り開いていく。そのこと自体が人生の醍醐味であることを、みなさんにも知ってほしいと思います。

苦しいとき、楽に歩ける道が用意されている人を見て、うらやましく思うこともあるでしょう。でも、もしかしたら、その人は、人生の醍醐味を味わう大切な機会を失っているのかもしれません。そして何より、他人の人生はあなたの人生には関係ありません。

自分の人生を生きる——。

孫子はその厳しさのなかで、「負けない」ために必要なことを教えてくれます。この本で出合った孫子の思想は、これからも人生のさまざまな場面でみなさんを支え、導いてくれる大切な宝物になるはずです。

受験を通して道を切り開く喜びを知ろう

孫子の言葉

〈五十音順〉

〈著者紹介〉
齋藤　孝（さいとう・たかし）
1960年静岡県生まれ。東京大学法学部卒業後、同大大学院教育学研究科博士課程等を経て、明治大学文学部教授。専門は教育学、身体論、コミュニケーション論。ベストセラー作家、文化人として多くのメディアに登場。著書多数。著書に『声に出して読みたい日本語』（草思社）、『語彙力こそが教養である』（KADOKAWA）、「齋藤孝の『負けない！』シリーズ」（PHP研究所）、監修した書籍に『こども孫子の兵法』（日本図書センター）などがある。著書発行部数は1000万部を超える。NHK Eテレ「にほんごであそぼ」総合指導。

装幀＝こやまたかこ
装画＝宮尾和孝
本文イラスト＝伊藤ハムスター
構成＝堀江令子
編集協力・組版＝月岡廣吉郎

YA心の友だちシリーズ

必読！　必勝！　受験のための「孫子の兵法」

2020年7月10日　第1版第1刷発行

著　者　齋藤　孝
発行者　後藤淳一
発行所　株式会社ＰＨＰ研究所
東京本部　〒135-8137　江東区豊洲5-6-52
児童書出版部　☎03-3520-9635（編集）
普及部　☎03-3520-9630（販売）
京都本部　〒601-8411　京都市南区西九条北ノ内町11
PHP INTERFACE　https://www.php.co.jp/

印刷所　株式会社光邦
製本所　東京美術紙工協業組合
© Takashi Saito 2020 Printed in Japan
ISBN978-4-569-78936-1
※本書の無断複製（コピー・スキャン・デジタル化等）は著作権法で認められた場合を除き、禁じられています。また、本書を代行業者等に依頼してスキャンやデジタル化することは、いかなる場合でも認められておりません。
※落丁・乱丁本の場合は弊社制作管理部（☎03-3520-9626）へご連絡下さい。送料弊社負担にてお取り替えいたします。
NDC376 159p 20cm